June 10, 2002

아이들에 다위버

나이듦에 대하여

여성학자 박혜란 생각모음

웅진닷컴

엉뚱한 사명감

살아간다는 건 곧 나이 든다는 것이지만 자신이 나이 들어 간다는 사실을 늘 느끼면서 살아가는 것은 아니다. 달릴 때는 모른다. 하지만 늘 달리기만 할 수는 없다. 멈추고 싶을 때도 있고 멈추어야만 할 때도 있다. 그때 비로소 내가 어느만큼 와 있나 돌아보고 앞으로 또 어떻게 갈 길을 갈 것인가 내다보게 되는 거다. 남들이 어떻다는 게 아니라 바로 내가 그랬다는 말이다.

돌이켜 보면 30대가 다 가던 무렵까지 나이를 의식한 적이 별로 없는 것 같다. 물론 틀을 벗어난다는 건 꿈도 꾸지 못하던 세대답게 몇 살에는 결혼을, 몇 살에는 출산을, 하는 식으로 나이에 맞춘 삶을 당연하게 생각하긴 했다. 하지만 그건 그저 몇 살에는 입학을, 몇 살에는 졸업을, 하는 것과 같은 의미였다. 나이는 내 밖에 있었지, 그게 내 속의 거라고 생각하지 않았었다.

서른아홉 살이 되자 나이가 나에게 느닷없이 말을 걸어 왔다. 이젠 그냥 주어지는 대로 나이를 먹지 말고 어떻게 나이를 먹을지 좀 생각해야 할 때가 아니냐 나를 부추겼다. 나는 앞으로 10년쯤 더 나이 든 내 모습이 지금과는 달라야 한다는 오직 한 가지 결심으로 삶의 방식을 조금 바꿔 보았다. 그리곤 갑자기 전보다 몇 배나 바빠진 생활 때문에 밖의 나이도 내 안의 나이도 다 잊었다.

그런데 쉰이 지나면서부터 몸이 자꾸 말을 하고 싶어했다. 마음은 나이 먹는 것을 잊었을지 몰라도 몸은 쉬지 않고 나이를 먹어 갔는데 왜 그걸 모른 체하느냐고 경고를 보냈다. 마침 그때까지 별 굴곡 없이 살았던 내 생활에 남편의 사업실패라는 큰 사건이 벌어졌다.

내 삶은 잠깐 휘청거렸다. 너무나 고요해서 지루함까지 느끼던 안온한 일상이 순식간에 무너질 수 있다는 깨달음에 정신이 번쩍 들었다. 다행스럽게도 경제적인 타격은 금방 회복되었지만 정신적 스트레스는 예상했던 것 이상으로 오래갔다. 10년 이상 쌓여 온 과로를 겨우겨우 다독거리면서 버텨 온 내 몸에 과도한 스트레스가 겹치자 심신이 모두 용량초과 상태를 아슬아슬하게 유지해 나가고 있었다.

실은 몸이 말을 걸기 시작했을 무렵부터 나는 바짝 몸과 나이라는 화두에 골몰하고 있었다. 일단 몸과 나이가 관심의 줄기로 떠오르니까 그전엔 깊은 생각 없이 받아들이던 일들이 새삼스레 의미를 지니고 떠올랐다. 평소 나는 '누구나 늙는다.'고 마치 모든 걸 다 꿰뚫고 있다는 듯, 태연한 척하면서도 정작 자신의 나이듦에 대해서는 구체적으로 생각하기 싫어했다. 또 간간이 노인 문제가 부각될 때마다 그것이 나하고는 동떨어진, 그냥 하나의 사회적 문제로서만 건성건성 대했었다.

하지만 이제 몸의 말에 귀를 기울이게 되면서 나는 자신의 나이듦을 똑바로 쳐다볼 수 있는 눈을 얻었다. 그리고 병석에 누워 계신 친정과 시집의 두 어머니, 나이 들어 가는 큰 시누이와 두 동서들, 10여 년 간 함께 뜻을 펴 온 친구들, 그리고 사춘기를 함께 보낸 친구들의 모습을 통해 이 땅에서 여성으로 나이 들어 간다는 의미를 하나하나 되새길 수 있었다.

바로 얼마 전까지 내가 하고 싶어했던 일, 쓰고 싶었던 것들을 까맣게 잊어 갔고 다만 지금 현재 나이 드는 이 느낌에 대해서 어떤 형식으로든 표현을 하고 싶다는 욕구만 나날이 커져 갔다. 마치 지금 기록하지 않으면 정말 나이가 많이 든 후엔 다 잊혀질 것만 같은 기분이었다. 게다가 아무도 하지 않았던 일이기에 나라도 하지 않으면 안 된다는 엉뚱한 사명감까지 나를 들쑤셨다.

때마침 여성신문에서 에세이 연재를 요청했고 나는 '나이듦에 대하여' 라는 상당히 철학적으로 들리는 제목으로 글을 쓰기 시작했다. 그러나 난 철학자가 아니라 생활인일 뿐이었다.

나이나 몸에 대한 일반적인 이야기를 끌어가기엔 내 시야도 지식도 너무 짧았다. 게다가 난 별것도 없는 자신에 대한 이야기만으로 책을 세 권이나 써 댄 못 말리는 수다꾼이다. 처음의 야심 찬 계획은 이내 꼬리를 내리고 그저 내가 살아가는 이야기를 무슨 중대사나 된다는 듯이 시시콜콜히 펼쳐 놓다 보니 철학은커녕 주제조차 날아가 버린 정체를 알 수 없는 글이 되고 말았다.

글을 시작하고 얼마 지나지 않아 난 몸이 더 나빠졌고 드디어는 병원에 입원하는 일까지 생겼다. 계속 경고를 해도 무시를 당하자 몸이 반란을 일으킨 것이다. 덕분에 나는 나이와 몸에 대해 보다 더 깊이 생각하는 결정적 계기를 얻었다.

나는 생애 처음으로 몸의 중요성을 인정했다. 그리고 당분간 내 몸을 달래는 데 온 힘을 쏟기로 마음먹었다. 대부분의 바깥일을 끊고 아주 최소한의 사회활동만을 지속하기로 했다. 그리고 일주일에 한 편 짧은 에세이를 쓰는 것만으로도 헉헉거리며 살았다. 글은 이제 글이 아니라 삶이었다. 몸과 마음이 극도로 쇠약해진 상태에서 내가 살아 있음을 알리는 유일한 통로로서의 글은 독자를 위한 것이 아니라 바로 나를 위한 것이었다.

가끔 특별할 것도 없는 사람의 특별할 것도 없는 신변잡기를 공개한다는 게 너무 뻔뻔스러운 짓이 아닌가 반성하기도 했다. 처음엔 홍수처럼 넘칠 것 같았던 말이 몇 주 지나지 않아 바닥을 드러냈을 때는 스스로에게 실망해서 글을 중단하고 싶었던 적도 여러 번 있었다. 그러나 놀랍게도 이 중구난방 맥 빠지는 글을 읽고 동감을 표해 온 여성들이 의외로 많았다. 10대 소녀로부터 재미있어서 일주일 내내 기다렸다 꼭 찾아 읽는다는 말을 듣곤 도대체 저렇게 어린애가 어디서 재미를 찾는지 정말 궁금했다. 특히 같은 또래 여성들로부터 자기만 그런 게 아니었구나 하는 위로를 받았다는 말에서는 오히려 내가 큰 위로를 받기도 했다.

몸 때문에 석 달 정도 쉰 것까지 합쳐 꼬박 2년 동안 잘도 써 댔다. 그리고 연재가 끝날 즈음 나는 몸과 마음에 서서히 기운이 오르는 걸 느낄 수 있었다. 그 사이에 집안에도 여러 가지 일이 있었다. 모든 것은 변하게 마련이다.

그리고 어느덧 나는 몸을 다독거리면서 사는 데 익숙해져 갔다. 나이와 몸에 대한 글쓰기는 나에게 나이와 몸과 더불어 사는 법을 가르쳐 준 길이 되었다. 글쓰기는 곧 삶의 방법이었다.

나에게 수많은 사람과의 만남을 주선해 준 『믿는 만큼 자라는 아이들』을 펴냈던 웅진에서 이 에세이의 주제를 살려 책을 내자고 제안했을 때 난 무척 망설였다. 나로서야 반가운 제의이지만 이런 정체불명의 글을 책으로 펴낸들 누가 읽겠느냐는, 출판사의 입장을 배려한 때문이었다. 주간신문에 연재하는 것과 출판은 완전히 다른 문제였다. 재테크도 처세도 명상도 아닌, 나이 들어 가는 한 여자가 자기의 삶과 생각을 두서없이 까발려 놓은 이런 글을 찾아서 읽어 줄 독자가 과연 있을까, 솔직한 의문이었다.

그럼에도 불구하고 나는 결국 책을 내는 쪽으로 마음을 먹었다. 다만 주제는 그냥 지켜 가되 모든 글을 다시 손보기로 했다. 아예 처음부터 새로 쓰는 편이 훨씬 쉬운 작업이 될 터이지만 이 글을 처음 쓸 때의 그 마음을 그냥 지키고 싶었기 때문이다. 하지만 정작 손을 보기 시작하니 새로 덧붙이고 싶은 글들이 생겨났다. 결국 새로 쓴 글이 더 많아졌다. 특히 맨 뒤에 실린 세 편의 글들은 연재 이후 해외에 나갔을 때 겪고 느낀 것들로 앞의 글들로부터 멀찍이 벗어나는 감이 있지만 이렇게라도 묶어 두지 않으면 얼마 지나지 않아서 내 기억 바깥으로 멀리 날아가 버릴 것 같아 서둘러 끼워 넣었다. 난 어떻게 된 게 나이가 들수록 자꾸 뻔뻔해지고 이기적으로 되어 가는 것 같다.

이 책을 읽는 사람들이 어느 한 페이지에서나마 살아가는 데 위로가 될 작은 조각을 건져 갈 수 있다면 더 바랄 것이 없다. 그냥 재미를 느끼기만 해도 좋고.

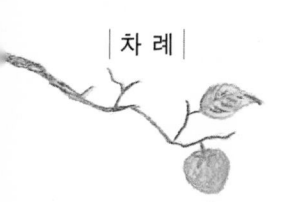

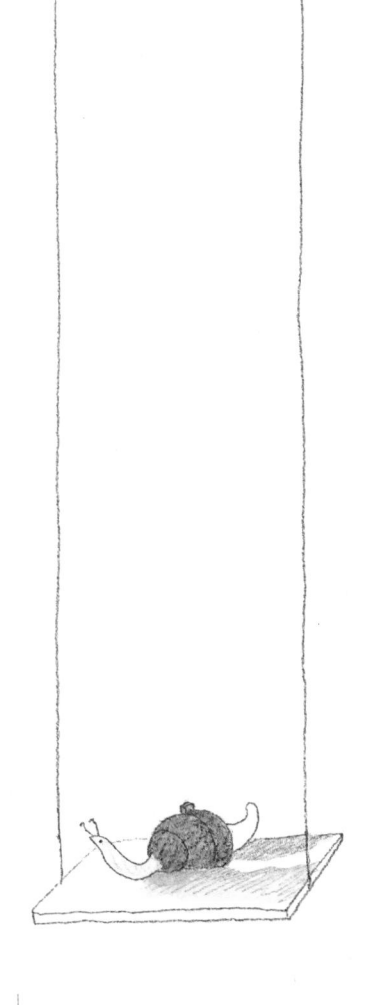

1장 | 여자의 시간은 잘도 흐르네

2001. 6. 14
윤원석남

"어쩌면 그렇게 곱게 늙으셨어요?"

그와 대화를 나누는 동안
내 귓속에서는 계속 '곱게 늙었다.'는 말이 맴돌았다.
아니, 그냥 "어쩌면 그렇게 고우세요?"라고 끝내면 어때서 굳이
'늙었다.'는 말을 보태는 거지? 괘씸하고 서운했다.
하지만, 정신이 번쩍 드는 기분이었다.

이런 저런 일들로 한동안 매스컴을 탔더니 얼굴이 꽤 알려져 버렸다. 그중에서도 주부들이 즐겨 보는 모 TV 아침 프로그램의 위력은 정말 대단한 것 같았다. 뉴욕의 엠파이어 스테이트 빌딩에서 만난 내 또래 아줌마는 오래전에 헤어진 친구라도 된다는 듯 반색을 하며 하버드엔가 다닌다는 자기 아들을 거의 강제로 인사시키고는 벽화를 배경으로 함께 기념사진을 찍게 했다. 또 언젠가는 난생 처음 제주도 여미지 식물원에 갔었는데 사람이 별로 없어 한갓지기 짝이 없는 그곳에서도 젊은 여직원이 반갑게 알은체를 해 와서 얼마나 놀랐었는지 모른다.

전혀 예기치 못했던 곳에서 말을 걸어 오는 사람들은 대부분 3, 40대 젊은 주부들로 그들의 스스럼없는 태도는 번번이 나를 당황하게 만든다. 기껏해야 10여 년 정도밖에 차이가 안 나는 그들은 내 또래하곤 비교할 수 없을 정도로 활달해서 마치 몇 세대 아래처럼 느껴진다. 아줌마도 다 같은 아줌마가 아닌 모양이다.

젊은 아줌마들은 대부분 내가 쓴 책『믿는 만큼 자라는 아이들』을 아주 재미있게 읽었다는 말로 시작해서 단도직입적으로 "그런데 우리 애가 지금 중 2거든요……"라는 즉석 상담으로 이끌어 간다. 부끄럽고 고마운 마음에 내 딴에는 땀을 흘리면서 도움말을 준답시고 애써 보지만 이내 돌아오는 답에 난 머쓱해지고 만다. 내 말에 끄덕끄덕하는 것처럼 보이던 이들은 아주 명쾌한 어조로 '선생님네 아이들은 워낙 특별한 애들이라 그렇지 우리 애는 그렇게 키우면 안 된다.'는 결론을 짓고 마니까. 자기 속에 이미 확고한 답을 갖고 있으면서 왜 내게 말을 시키는 건지 은근히 부아가 나기도 하지만 쓴웃음을 짓는 걸로 속내를 숨길 수밖에.

이런 내 속을 아는지 모르는지 헤어질 때 그들이 한결같이 하는 말은 또 엉뚱하기 짝이 없다.

"TV나 책에서보다 훨씬 젊고 날씬하시네요."

분명 칭찬일 듯싶은데 그들의 말투에서 실망의 기미를 읽었다면 내가 너무 넘겨짚었나. 아니면 내가 너무 자신이 넘치나.

어떤 여성은 "아무리 봐도 펭귄표가 아니신데요."라며 윗옷으로 교묘하게 가린 나의 배 부분을 염탐하기도 한다. 아, 이 탁월한 기억력이라니. 책 속에 막내가 나를 펭귄표 엄마라고 놀린다는 표현이 딱 한 번 나오는데 어찌 된 셈인지 이 바쁜 세상에서 너무나 많은 여성들이 그 구절을 놓치지 않고 입력시켜 놓았나 보다.

'젊어 보임(젊음이 아님)'과 '살' 이야말로 사람들 사이에서 가장 화기애애한 화두가 된 지 오래된 터라 우리는 어느새 낯선 사람을 만났을 때조차 체중과 체격에 대해서 서슴없이 평을 내리면서도 그게 무례한 짓이라는 걸 잊어 버렸다. "어쩜 그렇게 젊으세요?"는 어렵게 여겨지는 사람을 만났을 때 그를 한 방에 무장해제시키는 가장 강력한 무기라는 걸 누구나 알고 있다.

아무튼 상대편에게서 실망의 기미를 감지했더라도 나보다 한참 젊은 여성들로부터 날씬하다든가 젊다든가 하는 소리를 듣는다는 건 그게 아무리 입에 발린 치레라고 해도 기분이 꽤 괜찮은 노릇이다. "아유, 그 거짓말 참 듣기 좋네." 하며 손사래를 치면서도 나도 모르게 어느새 입이 헤벌쭉해지고 축 늘어졌던 사지에 파르르 생기가 오른다(이쯤 되면 나도 갈 데 없는 공주병 환자?).

그런데, 그런데 말이다. 얼마 전 일반버스에서의 경험은 충격적이다 못해 참담하기까지 했다. 그날따라 유난히 꽉 전 파김치 상태로 의자에 늘어져 있는데 뒷좌석에 앉아 있던 젊은 여성이 몸을 내 쪽으로 숙여 오며 속삭였다.

"이적 씨 어머니시죠? 어쩌면 그렇게 곱게 늙으셨어요?"

이적(나의 둘째 아들로 본명은 이동준. 대학 4학년 때 가수로 데뷔했다)의 열렬한 팬이라고 자기 소개를 한 그 여성은 스물여덟 살로 회사에 다닌다고 했다. 그 또래답게 환한 표정에 당당한 태도가 돋보이는 그와 대화를 나누는 5분 남짓 동안 내 귓속에서는 계속 '곱게 늙었다.'는 말이 맴돌았다. 아니, 그냥 "어쩌면 그렇게 고우세요?"라고 끝내면 어때서 굳이 '늙었다.'는 말을 보태는 거지? 괘씸하고 서운했다. 하지만 정신이 번쩍 드는 기분이었다.

벌써 몇 년 전부터, 좀 더 정확하게 말하면 쉰 살이 넘으면서부터 스스로 하루에도 몇 번씩이나 '나이는 못 속여, 나도 이젠 늙었어.'를 되뇌는 처지였음에도 불구하고 낯선 젊은이가 아무런 가식 없이 던진 인사말이 왜 그렇게 충격으로 다가왔을까.

뻔하다. 그 말이 나의 의도적인 착각을 여지없이 깨뜨렸기 때문이다. '나도 이젠 늙었어.'를 되뇌는 나의 마음 깊은 곳에서는 '나는 아직 안 늙었어.' 또는 '다 늙어도 나만은 안 늙어.'라는 묘한 자만심이 깔려 있는 거다. 때문에 입으로는 솔직하게 자신의 늙음을 고백하는 듯하지만 나의 귀는 당연히 상대방이 누구건 간에 그로부터 "아니 무슨 말씀을? 당신은 젊어."라는 소리를 듣고 싶어한다. 게다가 그것이 절대로 입에 발린 소리가 아니라 '객관적인 사실'을 전달하는 거라고 애써 믿으면서.

시간이 흐르면 싫어도 누구나 나이를 먹는다. 나이듦은 늙어감이다. 그런데 나만 그런 게 아니라 대부분 그렇게 늙어 가면서 왜 그렇게도 늙었다는 걸 인정하기 싫어할까. 가까워져 오는 죽음이 두려워서일까. 그보다는 우리 사회가 젊음을 찬미하는 데 너무 바빠서 늙음에 대해서는 최소한의 예우도 못할 만큼 인색하기 때문인 것 같다. 아니면 의학의 기술을 빌리건 심리적 최면을 걸건 무슨 수를 써서라도 젊음을 자꾸 늘여 가다 보면 어느 날 늙음이라는 것 자체가 사라져 버릴지도 모른다고 꿈꾸는지도 모른다. 늙지 않고 죽음에 이르는 환상적인 꿈.

아무튼 우리는 어렸을 때부터 늙음은 추함이고 악함이고 약함이고 심지어는 죄라고 배워 왔다. 더구나 여성의 경우는 훨씬 더 심했다. 그 많고 많은 이야기책들은 한결같이 젊고 예쁘고 착한 소녀를 괴롭히는 늙고 못생기고 못된 여자들을 그려 왔으니까. 백설공주도 늙으면 마녀가 된다! 여자들이여, 늙지 말지어다.

때론 자신은 나이에 초연하다고 말하는 이들도 있다. 하지만 그들도 자신이 늙어감은 인정하지 않는다. '나이는 들었지만 나는 젊다.' 도대체 늙음이 뭐길래.

결국 늙음을 맹렬히 부정하느라고 정작 어떻게 늙을 것인가에 대한 준비는 하나도 못하면서 우린 속절없이 늙어 가고 있다. 그렇게 살아가다가 어느 날 갑자기 자신이 늙었다는 사실을 객관적으로 통고받는 순간의 그 느낌이라니. 그 충격적이고도 착잡한 기분을 어떻게 설명할 수 있을까.

마흔 중반 즈음부터 머리가 세기 시작한 나의 남편 역시 자신의 나이를 의식하지 않고 살았는데 어느 날 지하철에서 자리를 양보받고 큰 충격을 받았다고 고백했다. 어떤 친구는 지하철 차창에 비친 웬 여자를 보고 '그 여자 되게 초라하게 늙었네.' 라고 생각했었는데 그게 바로 자기 자신이었다고 했다.

1, 20년 만에 만나는 옛 친구들은 또 얼마나 서로를 놀래키는가. 한

껏 성장을 하고 화장을 해도 그들은, 아니 우리들은 꼭 그 나이만큼 나이 들어 보이잖는가. "어머, 어쩜 넌 그대로니?" 하는 꾸며진 감탄사들은 그 서러움을 달래기엔 턱없이 모자란 사탕발림, 짜고 치는 고스톱일 뿐이다.

산다는 것은 늙어 간다는 것이다. 그럼에도 우린 늙음이란 젊음이 스타카토로 끝나는 어느 날 별개의 삶처럼 시작되는 것으로 생각한다. 그래서 기를 쓰고 늙음을 밀어내려고 애쓴다. 마지못해 늙음 이후의 생활을 예비하면서. 하지만 늙음 이후의 생활, 즉 노후생활이 어떻게 따로 있을 수 있는가. 노전생활이란 말이 없는 것처럼 노후생활이란 말도 틀린 말이다. 우리는 그저 계속 늙어 가고 있을 뿐이다.

나는 564 아줌마

우리 어머니 세대에 비하면 한결 잔잔한 파도였을지 모르지만
우리들 564세대 ─ 50대, 60년대 학생, 40년대생 ─ 아줌마들은
정말 격랑에 휩쓸려 허우적거리다 보니
어느덧 노년의 입구에 떠밀려 오게 되었다.

한동안 이른바 386세대 ─ 30대, 80년대 학번, 60년대생 ─ 에 스포
트라이트가 떨어졌다. 초장에는 신세대와 쉰 세대 사이에 낀 채 어디
에서도 제자리를 찾지 못하는 불구의 세대라는 식으로 연민을 불러일
으키더니 그것도 잠깐, 어느새 '그들만이 희망이다.' 는 찬사가 빗발치
기 시작했다. 그들이야말로 건강한 사회의식으로 무장된 집단이며 또
한 개개인의 창의력을 발휘하면서 새로운 삶의 스타일을 개척해 나가
는 리더들로 받들어지고 있다. 유독 노인들이 꽉 잡고 있는 정치 쪽만
빼놓고 사회 곳곳에서 386세대들이 빛을 발하는 모습이 보인다. 가끔

시끄러운 일을 일으키기도 하지만 그들은 신선하고 멋지다.

이렇게 386세대를 칭찬하다 보니 386세대에는 어쩐지 남성들만 포함되는 것 같은 느낌이 든다. '인간'에 관한 보편적 논의라고 하면서 언제나 '남성'만을 지칭해 온 역사가 나에게서도 여지없이 드러난다. 그러니 '인간' 이야기를 해야지 왜 '여성, 여성' 하느냐는 일부(거의 모든 남성과 이 풍진 세상에서도 잘 나가는 소수의 여성들)의 비난을 감수하면서도 386세대 여성들 이야기는 따로 해야겠다.

386 여성들, 그들도 역시 신선하고 멋지다. 비록 이론에 머문 수준이라고들 하지만 아무튼 대학에서 남녀평등의 이념을 맛본 첫 세대인 그들은 윗세대 여성들과 확연히 다르다. 놀랄 만큼 다양한 분야에서 당당한 모습으로 자신을 드러내는 그들을 보면 절로 기분이 좋아진다. 때로는 현실의 벽 앞에서 온몸이 깨지는 아픔을 겪을지라도 그들은 열심히 자신의 능력을 키우고 자기 자리를 넓혀 가고 있다.

여기에는 전업주부들도 예외가 아니다. 386 전업주부들은 가족 바깥을 보지 않고 살던 윗세대와 달리 사회에 대한 관심의 끈을 놓지 않는다. 육아와 살림도 옹골차게 할 뿐만 아니라 자기를 가꾸고 키우는 데도 정성을 쏟는다. 성에 관한 의사표시도 아주 분명해서 나이 든 여성들을 놀래킨다.

어쨌든 21세기의 초반은 386세대에게 펼쳐진 마당이다. 그 마당에서 386 여성들은 누구보다 훨씬 자유롭고 풍요롭고 확장된 삶을 누리게 될 것이다. 그들은 또한 지금부터 자신들의 노년을 치밀하게 준비하는 첫 세대가 될 것이다.

386세대에 대한 이야기를 하다 보니 아, 역사는 이렇게 흐르고, 세대는 이렇게 밀려나는구나, 우리는 어쩔 수 없이 저물어 가는 태양(?……태양이라니 아무래도 과분한 기분이 들지만)이구나 싶어 약간은 비감해진다.

그렇다고 목숨 걸고 지켜야 할 그 무엇이 있다는 말은 아니다. 오로지 주역만이 내 몫이다, 조역도 싫고 단역도 싫다, 라는 맹목적인 집착 때문도 아니다. 이제 겨우 사는 데 익숙해졌다 싶은데 여태까지 살아온 세상과는 너무나 다른 시대, 다른 세상에서 그것도 한껏 깊어진 노년을 겪어 내야 한다는 게 새삼 버겁게 느껴진다는 말이다.

모든 세대가 자신들이야말로 시대의 희생양이라고 우기지만, 그리고 우리 어머니 세대에 비하면 한결 잔잔한 파도였을지 모르지만, 우리들 564 세대 — 50대, 60년대 학번(이 세대에는 대학생 수도 적었고 여자 대학생 수는 더욱 적었으므로 대학생과 고등학생을 다 넣어야 될 듯싶다), 40년대생 — 아줌마들은 정말 격량에 휩쓸려 허우적거리다 보니 어느덧 노년의 입구에 떠밀려 오게 되었다.

해방의 언저리에서 태어난 우리들은 윗세대가 누리지 못한 현대적 교육을 받은 여성 첫 세대이다. 하지만 우리가 받았던 교육의 내용은 전통적 역할을 전제하고 있었다. 일생 전업주부로 살았건 취업을 했던 적이 있거나 혹은 아직도 취업중이거나 간에 564 아줌마들의 일차 목표는 현모양처였다. 자아실현은 이기적인 행위로 여겨졌고 그들의 모든 에너지는 가정 안에서 발산되었다. 그들이 결혼하던 무렵부터 이 나라는 온통 반만년의 가난을 벗어나려는 열기로 들끓었다. 남편은 산

업전사로 밤낮없이 일터에서 싸우고 그들은 살림투사로 밤낮없이 살림과 육아에 몸을 바쳤다.

아이들을 다 키우고 나면 편안한 노후가 기다릴 거라는 믿음은 정작 그때가 다가오자 산산이 부서져 갔다. 현모양처는 더 이상 여성의 유일한 삶의 목표가 아니었다. 최고의 가치는 자아실현이었다. 어머니와 아내로서만 살아온 그들에게 '나'를 찾으라는 주문은 격려가 아니라 질타로 다가왔다.

더구나 살아갈 날은 아직도 까마득하게 남아 있다. 앞으로는 백 살도 문제없이 살 거라는 전망이 선뜻 반길 수만은 없는 숙제가 되었다. 564 아줌마들은 앞으로 살아갈 날은 너무 길고 할 일은 너무 없다는 사실에 가슴이 막막해진다.

정력적으로 사회활동을 해 오다 최근 그만둔 후배가 있다. 이제 갓 쉰을 넘은 그는 전에는 쉰 살이 되면 다 산 게 아닌가 싶었고 쉰이 넘은 여자가 일을 한다는 게 어쩐지 추레하게 여겨졌다고 한다. 마침 직장에서 껄끄러운 일이 생기자 이 기회다 하고 집에 들어앉았는데 불과 두 달도 지나지 않아 후회가 된다고 했다.

"앞으로 돌발상황이 안 생기는 한 최소한 25년은 쌩쌩하게 살 것 같은데 그 기나긴 세월을 그냥 놀면서 지낸다고 생각하면 자다가도 벌떡 일어나게 돼요."

경제적인 문제는 어느 정도 자신 있다는 여성도 이럴진대 여기에다 돈 걱정까지 떠맡아야 한다면 그들이 살아갈 21세기는 너무 암울하다. 사실 564 아줌마들은 경제관념에 있어선 뛰어난 세대들이다. 연탄 때던 단칸방에서 중대형 아파트로 옮겨 앉을 동안 그들은 원하든 원치 않든 간에 재테크의 비결을 체득했으니까. 또한 그들은 '딸 아들 구별 말고 둘만 낳아 잘 기르자' 던 구호를 충실히 따른 모범생들이다. 대여섯 이상씩이 보통이었던 자식들 먹이고 가르치느라고 자신의 몫 챙기기는 아예 꿈도 꾸지 못한 부모 세대와는 다르다.

빈 껍데기가 된 부모 세대의 곤궁한 노후를 안타깝게 여긴 564 아줌마들은 경제적인 측면에서만큼은 야무지게 노후대책을 설계하며 살았다. 자식들로부터의 부양은 일찌감치 접어 둔 그들이었다. 그들은 부모들보다 자신들이 훨씬 더 풍족하고 행복한 노후생활을 할 수 있다는 자신감에 차 있었다(부모처럼 살지 않겠다는 건 모든 세대의 공통된 바람이며 자신감이다).

그런데, 그들은 심리적인 준비에는 서툴렀다. 그저 막연히 노후가 되면 취미생활도 하고 여행도 즐겨야겠다는 그림만 염두에 두었다. '노인' 하면 자동적으로 65세를 떠올리던 그들이었으므로 50대에 이미 노년의 생활 양상으로 들어서리라고는 예상치 못했던 것이다. 그런데 어느 날 갑자기 돌보아야 할 아이들이 사라진 것이다. 둘이나 기껏 셋밖에 안 되는 아이들은 너무나 빨리 커 버리고 말았다. 둥지는 어미도 모르는 새 비어 버렸다.

박물관 대학에도 가고 백화점 문화센터에도 등록한다. 교회는 절대 결석하는 일이 없고 젊었을 때에는 어쩌다 기분 내키면 나갔던 각종 모임에도 열심히 참석한다. 얼마 전부터 시작된 초등학교 동창회도 빠지지 않는다. 철따라 패키지여행 팀을 따라간다. 일주일에 몇 번씩이나 친구들끼리 드라이브 겸 외식을 위해 교외로 나간다.

그런데 사이사이 집에 있는 시간이면 마음이 텅 빈 것 같고 울적하기까지 하다. 노는 것도 가끔 가다 해야지 줄창 놀기만 하니까 점점 재미가 없어지기 때문이다. 뭔가 새로 매달릴 일, 의미 있는 일이 없을까.

마음 한구석에서는 일손이 모자라는 시설을 찾아가서 자원봉사를 해 보고 싶은 의욕이 있어도 선뜻 나서지 못하는 게 564 아줌마들의 특성이다. 대부분 이제까지 사회와 단절된 채 살아왔기 때문에 가느다란 끈이라도 연결고리를 맺는 데 부담을 느낀다.

그래서 결국 많은 564 아줌마들이 찾아낸 일거리, 그건 다름 아닌 '자녀 애프터 서비스'라는 프로젝트이다. 자녀들을 결혼시킨 후에도 자신의 관할권 안에 두고 30년 동안은 보살핀다는 야심 찬 계획이다. TV마다 넘쳐 나는 드라마에서도 보듯이 우리 나라 젊은이들은 결혼 이후에도 독립을 하지 못한다. 아니, 하지 못하는 것이 아니라 하지 않는다. 스스로 엉겨붙지 않아도 얼마든지 대신 살아 줄 준비가 되어 있는 어머니들이 있는데 무엇 하러 독립한담.

독립된 노년을 기획하지 않으면 자식들을 괴롭히게 마련이다. 부모 세대의 경제적 의존을 그토록 안타까워했던 564 아줌마들, 그들은 지금 심리적 의존으로 자식들을 안타깝게 만들고 있는 건 아닌지.

60대, 그 고단한 초상

평생을 가족을 위해 자기를 희생하고 산 그들은 이제 놓여 나고 싶은
마음이 강하다. 그런데 어머니 세대가 환갑 전부터 어른 대접을 받았던 데
비해 지금 60대는 그런 대접은 바라지도 않지만
여전히 자신들이 낀 세대라는 사실에 답답해한다.

불우한 이웃들을 돕기 위한 TV 프로그램을 자주 보게 된다. 도대체
요즘 세상에도 저렇게 고생하는 이들이 많은가, 볼 때마다 놀랄 정도
로 딱한 사람들이 넘쳐난다. 난치병에 걸린 아기들을 안고 피눈물을
흘리는 가난한 부모들, 작은 손으로 병든 부모를 수발해야 하는 그늘
진 어린이들, 그리고 부모가 없는 손자들을 돌보는 늙고 병든 할머니
들의 사연이 한 주도 거르지 않고 계속 이어진다.

국민의 기초생활을 보장하겠노라고 장담하던 국가는 뭐 하고 있냐
고 분통을 터뜨리다가도 이내 경제적 여유가 있는데도 온갖 잔머리를

굴려 생계비를 타먹는 사람들이 적지 않다는 기사가 떠올라 쓴웃음이 나온다. 그 사람들은 뻔뻔한 얼굴로 이렇게 말하겠지? 고생은 타고나는 거이고, 가난 구제는 나라도 못하는 법이여, 라고.

젊다고 고통이 더 작고 늙었다고 고통이 더 크겠냐만은 나에겐 유난히 할머니들의 고통이 더 아프게 다가온다. TV에서 '할머니'라고 지칭되는 여성들은 간혹 50대나 70대도 끼어 있긴 하지만 대부분은 60대이다. 그들은 내 주위의 60대 여성들보다 한 10년은 더 나이 들어 보일 만큼 고단한 삶의 역정을 온몸으로 보여 주고 있다.

짐작컨대 그들은 여태 살아오면서 단 한 차례도 좋은 시절을 겪어 보지 못했을 것이다. 아마도 가난한 부모와 올망졸망한 형제들 속에서 학교교육은 뒷전이었을 테고 살림에 보태기 위한 온갖 잡스런 노동편력 끝에 소위 혼기가 닥치자 역시 가난하고 못 배운 남자와의 결혼생활로 들어갔을 것이다. 다행히 남편이 착한 성정을 지녀서 잠시 동안의 아기자기한 시절이 있었을는지 모르지만 엄혹한 생활고를 막일로 지탱하던 남편은 이내 몸을 다치거나 혹은 술에 젖어 들었기 십상이다. 설상가상으로 아직도 시어머니의 위세가 통하던 때였으므로 남편이 무능하다고 시집살이가 가벼워지지도 않았다.

가족을 먹여 살리기 위해 그들은 다시 새벽부터 밤까지 닥치는 대로 일했다. 그들의 꿈은 자식들이 자신보다 나은 삶을 누리는 것이었지만 언제나 그렇듯이 꿈은 쉽게 이루어지지 않는 법. 중심을 세우고 살기 힘든 세상에서 아이들이 유혹에 흔들리지 않기를, 그리고 점점 물질이 신이 되어 가는 세상에서 자신의 처지에 좌절하지 않기를 바라는 것은 너무도 야무진 꿈이다.

윗세대 여성들처럼 나이 들면 자식, 아니 아들에게 의탁하리란 기대를 그들은 이미 오래전에 버렸다. 다만 아들이 제 몫만 할 수 있기를 그들은 간절히 바랐다. 하지만 재력도 학력도 무엇 하나 내세울 것 없는 아들은 성인이 되어도 언저리를 빙빙 돌 뿐 세상 속으로 뚫고 들어가기에는 역부족이었다. 옛날 어른들 말씀대로 남자는 결혼을 하면 제정신을 차릴 거라고 서둘러 결혼을 시킨 것은 60대 여성에게 더 큰 고생의 시작이었다.

가뜩이나 이혼율이 무섭게 높아 가는 이 시대에 무능한 남편과 고단한 살림을 참아 낼 며느리는 드물었다. 모성이 여성의 본능이라고? 천만에. 아무리 가난해도 움직일 힘만 있으면 굶어 죽을 정도로 어려운 세상은 아니다. 모성이 본능이라면 어떻게 자기가 낳은 아이들을 버리는 여자들이 이렇게 많을 수가 있을까. 어렸을 때부터 그 어디에서도 최소한의 책임감, 타인에 대한 배려 따위를 익히지 못하고 자란 사람들에게 모성을 기대하는 건 애초부터 무리였는지도 모른다.

그렇게 떠맡게 된 손자들이다. 며느리는 떠나 가고 아들은 행방불명이거나 혹은 아프거나 하기 때문에 아이들을 키울 수 없다. 아니, 많은 경우 아픈 아들까지 부양해야 한다. 할아버지는 일찍 죽거나 중풍을 앓고 있다. 이 모든 식구를 할머니 혼자 끌어안고 산다. 60대 여성들은 가족을 포기한다는 건 꿈에도 생각할 줄 모르는 세대이기 때문이다.

그들 역시 모두 몸이 아프다. 혈압도 높고 관절도 아프다. 그러나 손자들을 다 키울 때까지는 결코 죽어서는 안 된다고 마음을 다잡으면서 그들은 오늘도 한 보따리씩 약을 타다 먹는다. 그리고 무거운 몸을 끌고 고물을 줍거나 풀빵을 구워 판다. 그들은 평생을 가족을 먹여 살리느라고 쉴 틈이 없는 여성들이다.

가난한 여성들의 그치지 않는 고난을 보면서 나는 어느새 우리 나라 60대 여성들 전체에 연민을 느낀다. 물론 내가 아는 60대 여성들은 먹고 사는 문제에선 위의 가난한 할머니들하곤 비교가 안 된다. 몸에 한두 가지씩의 질병을 안고 있지만 그들은 경제적으로 여유롭고 물질적으로 풍요롭게 생활하는 편이다.

그러나 뭔가 원만하지 못한 가족관계 때문에 그들은 자주 뒷골이 당긴다고 한다. 평생을 가족을 위해 자기를 희생하고 산 그들은 이젠 가족으로부터 놓여 나고 싶은 마음이 강하다. 어머니 세대가 그랬듯 자신도 나이가 60쯤 되면 자유롭겠지 막연히 기대했는데 그 사이 세상은 판이하게 변했다. 어머니 세대가 환갑이 되기 훨씬 전부터 어른 대접을 받았던 데 비해 지금의 60대는 어른 대접을 받을 생각은 없지만 여전히 자신이 낀 세대라는 사실만은 답답하기 짝이 없다.

부모 모시는 걸 당연하게 받아들인 세대였기 때문에 애초부터 시집살이를 면할 생각은 없었다. 하지만 환갑이 넘은 이 나이에 아직도 며느리 역할을 졸업할 수 없다는 현실에 숨이 막힌다. 평균 수명이 길어지면서 80은 보통이고 90이 넘은 시부모를 모셔야 하는 며느리들이 점점 많아지고 있기 때문이다. 건강하신 분에게 하루 세 끼를 차려 드리는 것도 보통 일이 아닌데 대부분 몸이 불편하시기 때문에 먹여 드리기까지 해야 한다. 병원에 모시고 다니는 일도 이젠 일상이 되었다.

아파트는 단독주택보다 일하기는 편하지만 대신 공간이 빤해 사생활이 다 드러난다는 기분이 든다. 노인들은 얼굴만 보면 이야기를 하고 싶어하기 때문에 가능한 한 부딪치지 않으려고 피해 보지만 좁은 공간에선 여간 힘들지 않다. 그래서 자꾸 용건을 만들어 밖으로 나갈 구실을 찾지만 나가 있어도 역시 마음은 편치 않다.

언뜻언뜻 시부모가 빨리 돌아가시기를 바라는 자신을 발견하곤 또 죄책감 때문에 마음이 괴로워 시부모에게 더 잘해 드리게 된다. 그러고 나면 자신의 신세가 처량하게 느껴져 남편에게 하소연을 하게 되지만 효자로 소문난 남편은 아내의 구원요청을 정기적인 히스테리라고 간단하게 무시해 버린다. 사시면 얼마나 사실 건데 그렇게 안달이냐고 조금만 더 참고 효도를 하자고 아내를 달랜다. 하지만 효자가 실제로 하는 일이 뭐람. 모든 일은 하나부터 열까지 몽땅 며느리 차지인데.

시부모를 모시고 사니 제사도 여간 까다롭지 않다. 명절 차례나 제사 때마다 몸이 아픈 증세는 요즘 젊은 여성들의 전유물이 아니다. 겉으로는 묵묵히 의무를 다하는 듯 보이는 60대 여성들도 속으로는 오래전부터 명절병, 제사병을 앓아 왔다. 그들은 겉으로 표현하는 데 익숙지 않을 뿐더러 속마음을 표현하는 걸 죄악으로 알았다.

그들도 이미 며느리를 보았다. 자신들이 겪는 괴로움을 며느리들한테만은 전수시키지 않겠노라고 결심할 정도로 그들은 며느리들에게 너그러운 시어머니이기를 원했다. 하지만 아무리 잘 봐주려고 애써도 요즘 젊은것들은 해도 너무한다. 시어머니가 며느리를 같은 여성으로 보고 그들의 짐을 덜어 주기 위해 얼마나 노력하는지 신세대 여성들은 조금도 알지 못하고 아예 알려고도 하지 않는다. 그들은 시어머니의 존재 자체만으로도 자신이 가부장제의 핍박을 받는다고 여기는 것 같다.

함께 살려는 생각은 아예 해 본 적도 없고 앞으로도 하지 않을 테지만 그들은 너무 자기중심적이다. 시어머니가 며칠 전부터 제사 준비를 해도 당일에만 얼굴을 비칠 뿐 도와 주려는 자세가 전혀 없다. 며느리가 제사 자체에 질릴까 봐 음식 양을 대폭 줄였는데도 그들은 '나는 제사가 싫다.'고 노골적으로 불만을 표한다. 당일에 와서도 천방지축 날뛰는 아이들 따라 다니느라고 오히려 방해만 될 뿐이다.

'잘 키운 딸 하나 열 아들 안 부럽다'는 구호가 요란한 게 언제 적부터인데 어찌 된 셈인지 딸들은 결혼시켜 놓고도 죽을 때까지 애프터서비스를 해야 하는 애물단지로 변했고 며느리는 까탈진 상전이 되었다. 손자들은 비싼 장난감이나 용돈을 미끼로 해야 겨우 가까이 온다.

60대 여성들의 남편들은 또 어떤가. 왕년에 얼마나 출세를 했건 그들은 이제 제 손으로 라면 하나 끓여 먹을 줄 모르는 철저한 생활무능력자들이다. 이러니 팔자 좋은 60대 여성은 유산 많이 남기고 남편이 일찍 죽어 준 년이란 농담이 힘을 발휘하지 않을 수 있나.

페미니즘이란 말조차 존재하지 않던 시대에 태어나 전형적인 여자의 일생을 살아온 60대 여성, 그들에게 남은 긴 여생은 천차만별이겠지만 어쨌든 여전히 고단하리라는 예측만은 크게 어긋나지 않을 것 같다.

( )에 갇힌 삶

내 이름이 쓰이는 한 그 옆에는 괄호가 쳐지고 숫자가 매겨지게 마련이다.
하지만 누구나 세상이 값을 셈하는 대로 자신의 나잇값을 저울질하며
살 필요는 없다. 다른 사람에게 팔 것도 아닌데
내 나잇값은 내가 마음대로 매기면 그뿐이다.

「전원일기」에서 수더분한 시어머니로 늘 거기 그렇게 있는 듯한 김혜자 씨를 내가 오래전부터 한결같이 좋아하는 까닭은 그가 전통적인 한국 여성상이어서가 아니라 그런 여성상을 치밀하게 연기하는 배우이기 때문이다. 그토록 총명하게 반짝이는 눈동자를 가진 여성이 그렇게 순종적인 여성을 자연스럽게 연기한다는 게 놀랍지 않은가.

언젠가, 아마 「마요네즈」란 영화에서 그가 철딱서니 없는 엄마 역할을 맡은 후였던 걸로 기억하는데, 그 즈음 한 주간지에서 그의 인터뷰 기사를 읽은 적이 있다. 그는 이름 석 자 옆에 괄호를 치고 나이를 적

어 넣는 우리 나라 매스컴의 기사작성 관행이 아주 속상하다고 털어놓았다. 연기자란 직업은 나이를 사람들한테 주지시키면 배역을 맡는 데 큰 제약을 받기 때문이라고 했다. 그때 나는 괄호 속 숫자 따위는 아랑곳 않고 자기 길을 가는 것처럼 보이는 그도 결국 자신의 나이로부터 완전히 자유롭지는 못하구나 하는 생각이 들어 아쉽기도 했고 또 안도감도 들었다.

하긴 보통 사람들은 연예인뿐만 아니라 다른 유명인들의 나이에도 유난히 관심이 많다. 단순한 호기심일 때도 있지만 습관적으로 자신의 나이와 비교하는 습성 때문인 것 같다. 저 사람은 저 나이에 저렇게 돈을 많이 벌었구나, 저 사람은 저 나이에 저렇게 유명해졌구나, 아이구, 난 이 나이 먹도록 뭘 했나 하며 순간적인 회한에 빠지는 것이다. 대통령이 될 생각은 단 1초도 해 본 적 없는 나 같은 사람도 미국 대통령이었던 클린턴이 나와 동갑이라는 사실을 알게 되자 순간적으로 내가 마치 아차 실수해서 대통령 자리를 놓친 듯한 착각에 빠졌더랬다.

그러고 보면 매스컴을 탈 일이 전혀 없는 보통 사람들도 일상생활 속에서 늘 자기 이름 옆에 괄호를 치고 그 속에 숫자를 써 넣고 해마다 고쳐 쓰는 그 숫자를 의식하면서 살아가는 셈이다.

문제는 우리가 써 넣은 숫자가 지나치게 우리의 삶을 얽맨다는 점이다. 아니, 나 자신은 괄호를 채우고 싶지 않아도 세상이 그 속에 숫자를 써 넣고 나를 거기에 꿰어 맞추려 든다. 숫자에 맞는 역할, 즉 나잇값을 하라며.

어렸을 때부터 나잇값을 해야 한다는 주위의 기대감과 스스로의 부담감 때문에 자신이 진짜 하고 싶은 일을 놓치는 경우도 많거니와 자기가 진짜 하기 싫은 일도 억지로 떠맡아야 할 때도 많다.

다섯 살만 먹어도 나잇값을 해야 한다. 어쩌다 동생하고 다투기라도 하면 잘잘못을 가리기에 앞서 대뜸 '너 나이가 몇이냐?'는 질타가 날아온다. 그러다 보니 한 살밖에 차이가 안 나는 동생하고도 이해와 대화보다는 애시당초 나이로 눌러 버리는 게 편하다는 걸 아주 일찍부터 알아 버리게 된다.

나잇값에 대한 부담감이 최대한으로 무거워질 때는 20대, 그중에서도 소위 결혼 적령기라는 나이에 처했을 때이다. 물론 남성이라고 해서 아주 자유로운 건 아니지만 여성에 비할 바가 아니다. 그 기간에는 불과 3년 정도 차이에 금값에서 똥값까지 값이 달라진다. 똥값으로 취급되지 않기 위해 대부분의 여성들은 필사적으로 결혼작전에 매달린다.

30이 넘은 남성들이 나이와 더불어 커리어를 쌓기 위해 노력하는 동안 30이 넘은 여성들은 이제 더 이상 나이 들어 보이지 않기 위해 노력한다. 40대는 30대처럼, 50대는 40대처럼 보이기를 원한다. 그런 노력을 여성들은 나이를 의식하지 않는 삶의 방식이라고 말하지만 자기 나이보다 젊어 보이고 싶다는 욕구는 바로 나이를 끊임없이 의식하고 산다는 반증이다.

사람은 나이를 의식하지 않고 살 수 없다. 내 이름이 쓰이는 한 그 옆에는 괄호가 쳐지고 숫자가 매겨지게 마련이다. 하지만 누구나 세상이 값을 셈하는 대로 자신의 나잇값을 저울질하며 살 필요는 없다. 다른 사람에게 팔 것도 아닌데 내 나잇값은 내가 마음대로 매기면 그뿐이다.

난 3, 40대 여성들을 만날 기회가 많다. 그들은 거의 전업주부들로 어떻게 하면 아이들을 잘 키울까 고민하는 젊은 엄마들이다. 나는 그들에게 아이들을 잘 키우려면 우선 자기 자신을 키워야 한다고 역설한다. 하지만 그들은 내 말을 자기 자신과는 상관없다고 건너뛰고는 자녀교육의 비결을 '콕 찝어' 달라고 요구한다.

요즘 엄마들은 내가 강연을 시작했던 10여 년 전과 비교했을 때 굉장히 젊어 보인다. 그새 상대적으로 내가 나이를 더 먹은 탓도 있지만 그보다는 젊은 엄마들의 차림이 예전에 비해 아주 다양해지고 개성적으로 변했기 때문이다.

하지만 외모만 젊어졌을 뿐, 머리 속은 그야말로 나잇값을 한다. 그것도 이미 오래전에 매겨진 나잇값을. 그들은 자신의 인생은 더 이상 새로워질 필요도 없고 새로워질 수도 없으니 아이들 인생이나 잘 설계해야 한다고 말한다. 서른이 넘어서도 자기 생각만 하는 건 나잇값을 못하는 짓이라고 믿는다.

내가 서른아홉 살에 다시 공부를 시작하겠다고 나섰을 때 주위 어른들은 "아니, 그 나이에……" 하며 한결같이 황당해했다. 어떤 분은 "여자 나이 마흔이면 환갑이다."라며 이해할 수 없어 했을 뿐만 아니라 강력하게 반대하기까지 했다. 나이가 들 대로 든 여자가 주책이라는 비아냥과 더불어 이제 아이들도 어느 정도 커서 좀 편해질 때인데 왜 고생을 사서 하느냐는 안타까움 때문이었다.

20대 때만 해도, 아니 30대 초반이었을 때만 해도 나 역시 30대 후반에 대한 나잇값을 다르게 매겼었다. 다시 시작하기엔 너무 늦은 나이라고. 하긴 더 어렸을 때는 서른 넘은 여자는 무슨 재미로 살까 궁금해하기도 했으니까. 내 엄마가 엄마 이외의 자기 일을 갖는다는 건 상상도 못했다. 하지만 아이들 셋을 키우느라고 경황없이 30대 중반을 넘기자 나는 내 나이를 다시 생각할 여유가 생겼다. 그 결과 세상이 매겨 주는 나잇값이 잘못되었으며 같은 나이에도 얼마든지 값을 다르게 매길 수 있는 거라는 결론에 이르렀다.

그것은 세상이 말해 온 '여자의 행복' 이라는 것에 개인차가 존재한다는 사실을 몸으로 깨닫게 된 시기와 같은 때였다. 성 역할의 고정관념에서 벗어나는 순간 동시에 연령 역할의 고정관념에서도 벗어날 수 있었다.

그런데 사회에 다시 나가 보니 30대 후반을 시작하기에 좋은 나이로 생각한 여성은 나 혼자만이 아니었다. 놀랍도록 많은 여성들이 나보다 먼저 나잇값을 거부하고 살아가는 현장을 보고 나는 내가 얼마나 좁은 세계만을 보고 살았는가를 절감할 수 있었다.

젊은 엄마들이 자신의 성장은 아예 포기한 채 자녀교육에 남은 인생을 바치겠다는 비장한 각오로 똘똘 뭉쳐 있는 모습을 보면 나는 흐뭇한 게 아니라 가슴이 답답해진다. 앞으로도 3, 40년을 더 살아야 하는 그들이 내 눈에는 청년처럼 보이는데 그들 스스로는 자기 나이를 노년으로 셈하고 있다. 그래서 나는 그들보다 1, 20년 더 나이 먹은 선배로서 그야말로 나잇값을 해 보려고 목청을 돋우어 그들을 선동한다.

물론 이 세상은 지독한 연령차별주의 사회이다. 나이는 이제 남성에게도 훈장이 아니라 족쇄가 되어 가고 있다. 바로 얼마 전까지만 해도 한창 일할 나이라고 생각됐던 40대 남성들이 퇴출의 위협에 밤잠을 설친다고들 한다.

하지만 난 이 점에서만은 낙관적이다. 비록 더디기는 하지만 다양한 성 역할을 통해서 성 차별이 줄어드는 것과 똑같이 앞으로는 다양한 연령 역할을 통해서 연령 차별이 줄어들 것이라고 믿는다.

괄호 속 숫자에 얽매이지 않는 자기만의 나잇값을 셈하며, 자기만의 일을 찾는 여성들이 늘어날 때 성 차별과 연령 차별이 함께 사라지는 날이 올 게다. 그때 우리는 한결 넓어진 세상에서 한결 풍요로운 삶을 살 수 있을 것이다.

해 놓은 것도 없이…

사회활동을 했던 여성들은 일과 가사를 함께 떠맡아
동동거리며 살아온 날들이 과연 무엇을 위해서였던가 회의를 느끼고,
전업주부들은 가족만이 인생의 전부라고 믿어 온
자신의 생각이 한낱 착각이었다면서 허탈해한다.

바삐 살 때는 바쁘니까 시간이 빨리 흐르나 보다 생각했었는데 많이
한가해졌는데도 하루는 여전히 빨리 지나가고 한 달은 더 쌩쌩 달려간
다. 하루 종일 집에 꼼짝 않고 박혀 있는 날은 마치 시간을 도둑 맞은
기분이다. 이렇다 하게 한 일도 없이 그냥 서성이다 보면 아침 신문도
다 못 봤는데 어느새 저녁이 와 있다. 일주일에 한 번씩 하는 TV 프로
그램들, 「사랑의 리퀘스트」니 「열린 음악회」는 마치 하루 걸러 보는 듯
하고 비교적 꼼꼼히 읽는 「씨네 21」은 일주일에 서너 번씩 받아 보는
기분이다.

멍하니 앉아 있어도 시간의 속도감이 느껴지면 그게 바로 나이 들어 가는 징조라고 하지만 기억을 되살려 보면 20대에도 시간은 늘 '쏘아 놓은 화살처럼' 달려갔다. 어느 날인가 입사한 지 3년 정도밖에 안 되던 때였다. 이만큼 산 지점에서 생각하면 3년이란 기간은 우스울 정도로 짧은 시간이지만 사회 초년병으로 좌충우돌했던 당시로선 엄청나게 긴 시간이었다. 정신없이 살다 보니 어느새 3년이 지나가 버렸음을 문득 깨닫고서 난 나도 모르게 가장 고리타분한 표현을 끌어대며 아, 시간은 정말 유수 같구나, 탄식했었던가 보았다. 그러자 그때 40대 초반이던 상사가 쓴웃음을 지으며 내게 했던 말이 지금도 가끔 떠오른다.

"미스 박(한 번 미스 박은 영원한 미스 박? 그때 함께 일했던 사람들은 지금도 나를 미스 박이라고 부른다), 40대가 돼 봐. 꼭 누가 내 몫의 시간을 훔쳐 가는 것 같다니까."

또 선배들은 말한다. 그래도 50대까지는 시간이 더디 가는 편이라고. 60대부터는 1년 1년 가는 게 아니라 10년 단위로 훌쩍 날아간다고. 어느 모임에서 만난 70대 선배는 내 나이를 묻고는 '정말 좋은 나이'라며 자기도 그 나이였던 게 바로 엊그제 같다고 아쉬워했다.

즐거운 시간은 빨리 흐르고 괴로운 시간은 더디 흐른다는 말도 사실이 아닌 모양이다. 어느 모퉁인가를 돌았을 때부터 즐거운 일은 아주 이따금씩이고 괴로운 일들이 일상이 되다시피 했는데, 그래서 새털처럼 가벼웠던 삶이 쇠뭉치처럼 버거워졌는데도 시간은 자꾸자꾸 더 빨리 간다.

흘러간 시간의 총량을 확인하고 놀랄 때는 젊었을 적 알고 지내던 사람들을 아주 오랜만에, 10년이나 20년 만에 만났을 경우다. 가까이 지내면서 늘 만나는 사람들끼리는 시간 타령, 나이 타령을 하면서도 시간이 우리만은 살짝 비껴갈지도 모른다는 착각에 빠진다. 마치 병원에 입원한 모든 환자들이 자신만은 죽음으로부터 벗어나리라는 믿음을 버리지 않듯이.

입사 동기생들이 시내 중심가의 음식점에 모인다고 연락이 와서 거의 20년 만에 나간 적이 있었다. 옛날 직장 다닐 때 자주 들렀던 그 음식점은 그때도 이미 낡았던 때문인지 20년이 지난 후에도 별로 달라지지 않은 느낌이었다. 그런데 음식점 안을 아무리 둘러보아도 옛 동기생들의 얼굴이 한 명도 보이지 않았다. 가끔 그랬듯이 또 시간과 장소를 잘못 알고 온 게 아닐까 식은땀이 흐르기 시작했는데 바로 옆에서 누군가가 알은척을 했다. 그 자리는 내가 몇 번씩이나 지나쳤던 곳이었다. 그 순간의 쇼크라니. 어쩌면. 반갑게 환히 웃는 열댓 명 남자들의 몸에는 그간의 세월이 고스란히 쌓여 있었다. 그들의 머리칼과 주름살은 정확하게 우리가 흘려 보낸 시간의 총량을 알려주고 있었다. 나 역시 마찬가지였을 테니 몇 번씩이나 지나쳐도 알아보지 못할 밖에.

오랜만에 모인 자리일수록 "우리 나이 든 티는 내지 말고 옛날의 즐거운 시절로 돌아가자."라고 한바탕 떠들어 보지만 결국 그날의 화두는 '나이듦'으로 귀착되게 마련이다. 사이사이에 공연히 헛폼도 재 보고 뻥튀기도 해 보지만 즐거움보다는 서글픔에 압도되어 애꿎은 술잔으로 자주 손이 가게 된다. 아무리 무심한 척하려 해도 서로의 몸짓과 표정에서 세월의 더께가 새록새록 느껴지는 걸 어쩔 수 없다.

"아무것도 해 놓은 것 없이 여기까지 왔어."

예전에 격의 없이 지냈던 사이일수록 오랜만에 만나도 금방 속내를 털어놓게 된다. 누구를 막론하고 인생을 돌이켜 보면서 보람은 작고 회한은 크게 느끼는 것 같다. 아직도 '잘 나가는' 것처럼 보이는, 이 나이 되도록 인생의 쓴맛을 맛보지 못했다는 듯 자신만만한 몇몇을 빼 놓으면 남자들이나 여자들이나 다 똑같다. 다만 남자들은 말보다는 언뜻언뜻 표정으로 회한을 드러낼 뿐이지만.

여자들의 경우, 사회활동을 했거나 전업주부로 살았거나 간에 거의 모두가 아무것도 해 놓지 못하고 속절없이 세월만 흘려 보냈다는 회한에 젖기 일쑤이다. 사회활동을 하고 있거나 했던 여성들은 바깥일과 집안일을 함께 떠맡아 동동거리며 살아온 지난날이 과연 무엇을 위해서였던가 회의를 느끼고, 전업주부들은 가족만이 인생의 전부라고 믿어 온 자신의 생각이 이제 와 보니 한낱 착각이었다면서 허탈해한다.

오랜만에 만난 여성들에게서 그런 말을 들을 때마다 난 갑자기 투사로 돌변한다. 나 역시 한동안 그 같은 회한에 잠기다 못해 우울증에까지 빠졌지만 다른 여성들에게서 그런 한탄을 듣게 되면 참을 수 없는 투지가 솟구친다. 그렇게들 열심히 살아 놓고서 그걸 스스로 무질러 버리다니. 단지 듣기 좋은 위로의 차원이 아니라 정의의 차원에서라도 따질 건 따지고 넘어가야겠다.

도대체 '해 놓은 것 없다'는 건 뭔가. 한마디로 남들이 부러워할 만한 지위와 돈을 쌓아 놓지 못했다는 뜻 아닌가. 땅을 산 사촌을 시샘하듯 한국 사회에서 지위와 돈을 얻은 사람들을 무조건 싸잡아 내리 깎을 마음은 없다. 하지만 지위와 돈을 쌓지 못했어도 이 땅에서 적어도 50년이 넘는 시간을 살아 낸 여성들은 그것 하나만으로도 내남없이 대단한 사람들이라는 말을 꼭 하고 싶다.

우리가 살아왔던 시간은 대하드라마의 배경과도 같은 시대였다. 해방 전후의 혼란, 한국전쟁, 가난과의 사투, 상존하는 정치적 혼란, 시시때때로 덮쳐드는 경제위기, 전쟁의 공포, 환경오염 그리고 새로운 세기의 등장……. 그 속에서 아이 낳아 키우고 남편 뒷바라지하고 부모 모시며 여성들은 의연히 버텨 냈다. 게다가 바깥일까지 하면서.

지금 여기에 이르러 그들은 자신이 모든 것을 바쳐 키워 낸 자식 세대와 의사소통이 불가능하다는 현실에 경악하고 새로운 세기의 문턱을 넘어섰음에도 희망은커녕 한 치 앞을 내다볼 수 없는 안개 때문에 현기증이 난다. 현재의 불안이 과거를 부정하게 만든다.

하지만 그들 속에는 힘이 숨어 있다. 그 힘이 있었기에 평생 혼란스런 시간을 통과해 왔으면서도 그들은 미치지도 병들지도 않았다. 또늘 속으면서도 오히려 속이는 자를 불쌍하게 여기고 절대로 남의 것을 넘보지 않았으며, 잠자리에 들 때마다 그래도 내일은 오늘보다 나을 거라고 믿고 살았다.

그런 의미에서 그들, 아니 우리 모두는 대단한 사람들이며 역사적 인물들이다. 이 나라가 이만큼이라도 살게 된 것은 전적으로 우리 덕분이다. 아무것도 해 놓은 것 없다니. 겸손도 이쯤 되면 병이다.

해 놓은 것이 없다고 자탄하는 여성들에게 열을 내면서 이렇게 용기를 불어넣어 주다 보면 어느덧 내 속에서도 힘이 솟는다. 다른 여성들의 삶에 진정으로 경외감을 느끼다 보면 자연스레 나의 삶도 소중하게 여겨지기 때문이다.

해 놓은 것에 대한 회한은 이쯤에서 그만 접고 숨어 있는 힘을 바탕으로 앞으로 해 놓을 것에 대한 그림을 그려야 할 때이다. 앞으로 해 놓을 것 역시 돈이나 지위가 아니다.

해 놓을 것이 무엇일지는 사람마다 다르다. 다만 내가 보내 온 시간들 속에서 알게 모르게 내 속에 쌓여 온 그 무엇, 그것을 꺼내어 펼쳐 가는 것이 아닐까. 말해 놓고 보니 또 구름 잡는 소리 같다.

쑥스럽지만 내 욕심은 이렇다. 그 사람만 생각하면 마음이 싸하니 청량해져 오는 그런 것, 나만의 향기. 그런 것을 해 놓고 싶다. 욕심도 과하지.

2장 | 세상이 달리 보인다

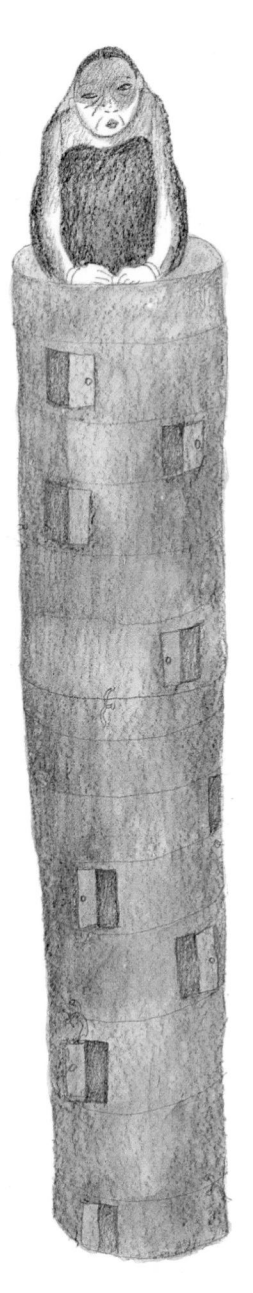

2001. 6. 11
윤원선남

지하철 풍경

일생 동안 거칠고 험한 세상을 살아온 탓인지
우리 노인들은 미소와 감사에 한없이 인색하다.
그래서 난 노인에게 자리를 양보하는 젊은이들에게 항상
고맙고 미안하다는 말을 대신하고 싶다.

반 백수의 즐거움 가운데 하나는 출근전쟁을 피하면서 대중교통을 이용할 수 있다는 점이다. 출근시간만 살짝 비껴 나면 지하철이고 버스고 그렇게 쾌적할 수가 없다. 다만 버스를 타는 경우에는 성질 급한 운전기사를 만나는 불운을 아주 벗어날 수 없다는 게 옥의 티다.

약속이 많은 사람일수록 지하철을 애용해야 한다는 게 나의 지론이다. 하지만 약속이 많은 사람일수록 지하철과는 거리가 먼 게 현실이다. 큰 회의나 소규모 모임을 막론하고 항상 늦는 사람들이 꼭 있게 마련인데 그들의 일관된 변명은 '차가 막혀서……' 라는 것이다(차가 막히는 건지, 길이 막히는 건지……). 그러면 다른 사람들도 대부분 교통대국의 국민답게 "오늘 유난히 교통체증이 심하죠?"라며 너그럽게 받아들이는 것 같다.

나도 시간을 칼처럼 지키는 축에 속하지는 못하지만 '차가 막혀서……' 라는 변명을 들을 때마다 속으로 '막힐 걸 뻔히 알면서 좀 일찍 출발하면 어디가 덧나냐?' 고 구시렁거린다. 아마 운전을 안(못) 하는 사람이 갖는 일종의 콤플렉스 때문일지 모른다. 때로는 아주 굉장한 정보라도 되는 양 "지하철을 타면 절대로 안 늦어요."라며 상대방에게 절대로 쓸모없는 친절을 발휘하기도 한다.

지하철 홍보대사가 된 김에 한 가지 덧붙이자면 지하철의 장점은 정확한 시간에만 있는 것이 아니다. 지하철은 완벽한 독서공간이라는 점을 빼놓을 수 없다. 전업주부였던 내가 다시 학교를 다니기 시작했을 때 나는 집에서 학교까지의 왕복 90분을 정말 알토란처럼 사용했었다.

가사노동의 특성 ─ 신경을 산지사방으로 분산시키는 것 ─ 때문에 신경을 집중시켜 책을 읽는 일이 아주 어려웠는데 지하철 안에서만은 그게 놀랄 만큼 쉽게 이루어졌다. 그때만 해도 아직 30대 후반이었기 때문에 45분 정도쯤은 꼼짝 않고 서 있어도 다리나 허리가 아프지 않았다. 너무 책읽기에 열중하다가 내려야 할 역을 지나치는 일도 흔했다.

지하철은 난폭운전의 위험이 없으니 노인들에게도 아주 좋은 교통수단일 터인데 정작 지하철을 타 보면 노인들은 생각보다 훨씬 적다. 이유는 딱 하나다. 계단 때문이다. 대부분 다리에 힘이 없는 노인들에게 지하철역의 가파른 계단은 공포의 대상이다.

그런 난관을 뚫고 일단 지하철을 탄 노인들은 비교적 건강상태가 양호한 사람들이라고 보아도 틀린 말이 아닐 것이다. 그러나 그렇다고 해서 노인들을 지하철에서 서서 가게 만드는 사회는 제대로 된 사회가 아니다.

노인들은 앉을 권리가 있다. 요즘 젊은이들이 도대체 예의가 없다는 합의 아래 버스나 지하철마다 노약자석이 마련되었는데 나는 그런 발상에 찬동하지 않는다. 모든 좌석은 일차적으로 노약자석이라고 생각하기 때문이다.

다행히 지하철을 타고 다니면서 난 요즘 젊은이들이 노인을 못 본 척할 만큼 막돼먹지 않았다는 사실을 늘 확인하곤 한다. 기꺼이 하건 억지로 하건 노인이 앞에 오면 젊은이들은 모두(거의 다가 아니라) 자리를 양보한다. 때로는 혹시 옆에서 다른 사람이 자리를 비켜 드리지 않을까 뭉그적거리는 경우도 있지만 아예 몰라라 하는 경우는 보지 못했다.

어떤 사람들은 이런 경향이 두드러지게 된 데는 어떤 TV 광고가 큰 영향을 끼쳤다고도 말하는데 광고가 화제를 일으키기 훨씬 전부터 우리 나라 젊은이들은 대부분 노인에게 자리를 양보하는 걸 당연하게 생각해 왔다고 본다.

오히려 내가 민망한 건 자리를 양보받는 노인들의 태도 때문이다. 고맙다는 말 한마디가 그리도 어려운 건지 무표정한, 아니 무뚝뚝한 얼굴로 자리에 앉는 노인들을 볼 때마다 내가 공연히 미안해서 어쩔 줄을 모르게 된다. 원래 내 자리였으니 당연하다고 생각해서 그러는지 모르겠지만 난 노인들의 그런 태도가 정말 마음에 들지 않는다.

어렸을 때 집안에서 노인을 못 보고 자랐기 때문에 나는 책을 통해 노인 이미지를 그려 왔다. 내가 머리 속에 그린 노인은 지혜가 풍부하고 마음이 인자하고 욕심이 없는 사람이었다. 하지만 실생활에서 만나는 노인들은 대부분 그런 이미지와는 거리가 멀었다. 그런 노인들보다는 고집이 세고 인색하고 마음이 좁은 노인들을 더 자주 만나게 된다.

결혼 초 나는 3층짜리 자그마한 아파트에서 살았는데 당시만 해도 3대가 함께 사는 집이 많았기 때문인지 아파트 마당에는 늘 손자를 데리고 나온 할머니들이 여럿 있었다. 좁은 아파트 마당에서는 하루도 할머니들의 고함 소리가 들리지 않는 날이 없었는데 나는 그때 우리 나라 할머니들의 마음속에는 오로지 자기 가족 생각 밖에는 아무것도 존재하지 않는 게 아닌가 하는 생각이 들었다.

온 힘을 다해 내지르는 할머니들의 고함은 대부분 자기 손자와 싸우는 다른 아이들을 야단치는 소리였다. 내 손자가 귀하면 남의 손자도 귀한 법일 텐데 어쩐 일인지 그때 그곳에 살던 할머니들은 남의 손자에 대해서는 가차 없이 굴었다. 심지어는 자기 손자를 때렸다고 분노에 떨며 다른 아이의 뺨을 찰싹찰싹 때리는 할머니까지 보았다. 예순 살이 넘어 보이는 할머니가 여섯 살짜리의 따귀를 때리다니.

그때의 인상이 너무 강했던 탓인지 나는 우리 나라 사람들이 원래 공동체의식이 투철했는데 산업사회를 거치면서 이기적으로 변했다는 견해에 동의할 수 없었다. 한마을에 사는 사람들이 거의 다 같은 성씨를 가졌기 때문에 모두 친척관계인 사회에서 이웃에게 인사를 잘하거나 궁색하게 사는 사람을 거두는 걸 공동체의식이라고 미화시키는 게 영 마뜩지 않았다. 다른 성씨, 다른 지방, 낯선 사람에 대해서는 얼마나 배타적이었던가.

하지만 젊었을 때는 나 역시 동방예의지국의 후손이었던지라 노인에 대해서 이렇게 부정적인 생각을 한다는 것 자체에 일종의 죄의식을 느꼈기 때문에 스스로 생각을 바꾸어 보려고 애썼다. 늙기도 서러운데 비난까지 하다니, 못된 것, 너도 늙어 봐라 하는 소리가 들리는 것 같았다.

그러나 나도 나이가 들어 가면서부터는 무조건 노인을 공경해야 한다는 생각보다 노인도 바뀌어야 한다는 생각이 강해지고 있다. 요즈음 새로운 노인문화를 만들자라는 목소리가 높아 가고 있는데 그 주체가 누구여야 하는가. 당연히 노인이어야 한다.

노인문화라고 하면 쉽게들 자원봉사라든가 취미생활 같은 것을 떠올리지만 나는 노인들이 그동안 살아온 경험을 토대로 새로운 공동체 문화를 만들어 나가는 데 앞장서야 한다고 믿는다.

무슨 거창한 사업을 벌이자는 것이 아니라 어른의 관용과 여유를 일상생활 속에서 보여 주는 작은 일들 ─ 그중 하나가 대접을 받았을 때 미소를 띠며 고맙다는 말을 하는 것이다 ─ 을 하자는 것이다.

그러나 일생 동안 거칠고 험한 세상을 살아온 탓인지 우리 노인들은 미소와 감사에 한없이 인색하다. 그래서 난 노인에게 자리를 양보하는 젊은이들에게 항상 고맙고 미안하다는 말을 대신하고 싶다.

지난 겨울 어느 날 예상보다 일이 늦어져 퇴근시간 무렵에 지하철을 타게 되었다. 지하철은 만원이었다. 사람들이 내뿜는 열기만으로도 차 속은 숨막힐 정도로 후끈거렸는데 난방기까지 가세하는 바람에 나는 두터운 코트 속에서 사우나를 하고 있었다.

마침 내 앞에 자리가 비어 앉을 수 있었다. 차내 공기가 너무 혼탁한 탓이었는지 난 잠깐 졸았던 것 같다. 내 귀에는 마흔쯤 되었음 직한 여성과 노년의 초입에 들어선 듯한 여성 둘이서 누군가를 욕하는 소리가 들려왔다. 그 누군가는 바로 내 옆에 앉은 채 졸고 있는 두 남학생들이었다.

"할머니, 이렇게 서 계시지 말고 저 녀석들한테 일어나라고 하세요."라고 젊은 여성이 부추기자 다른 여성이 화를 못 삭이겠다는 듯이 목청을 높였다.

"아, 저 싸가지 없는 놈들이 일어날 것 같아. 저 자는 척하는 꼬락서니 좀 보라구. 요즘 것들이 어디 어른을 알아봐야지."

내가 보기에 그 남학생들은 자는 척하는 것이 아니라 진짜로 자고 있었다. 격렬한 운동을 한 후였는지 땀 냄새가 진동했고 입가로는 침까지 흘러나오고 있었다. 설사 잠이 깼다 하더라도 그렇게 욕을 먹은 마당에 죄송합니다 하고 일어나는 것도 꽤나 멋쩍은 노릇이었을 것 같았다.

남학생들을 욕하는 목소리가 높아 갈수록 내 마음은 점점 불편해졌다. 그렇다고 해서 나보다 기껏해야 대여섯 살이나 더 먹었을 그 여성에게 자리를 양보하는 것도 어쩐지 어울리지 않는 짓일 듯싶었다.

아이들에게 못할 짓을 한 것 같은 기분을 견딜 수 없었던 나는 전동차가 서자마자 큰일 날 뻔했다는 표정으로 자리에서 황급히 일어섰다. 목적지까지 한참 남았음에도.

사소한 것에 대한 분노

분노에 관한 한 나는 뒤죽박죽이다. 커다란 일에 대해서는
무감각해진 대신 사소한 일에 대해서는 점점 참을 수 없어진다.
어떻게 해야 그런 분노를 잠재울 수 있을까?
더 나이가 들면 사그라들까.

나이듦에 대해서 끊임없이 생각하고 쓸 거리를 찾다 보니 요즘 내가
낀 자리에서 가장 빈번하게 등장하는 화제는 역시 늙음 그리고 죽음에
관한 것들이다. 평소 같으면 아주 친밀한 사이가 아니면 꺼내지 않았
을 대화를 그냥 저냥 한 사이인데도 별 스스럼없이 화제로 삼는 경우
가 많아졌다.

얼마 전에도 40대 초반에서 50대 후반에 이르는 여성들이 모였다.
모두들 '나이를 잊고' 열정적으로 활동하는 여성들이었는데 축 처진
내가 끼어들었던 탓인지 화제는 어느새 '늙음'으로 변하고 말았다. 자

신이 언제 늙어 가고 있음을 느끼기 시작했느냐는 물음을 놓고 그들은 나이를 초월한 열정으로 화제를 이끌어 갔다.

- 에너지가 고갈되어 감을 느낄 때
- 새로운 일을 꾸미기가 두려워질 때
- 젊은이들이 아름답게 보일 때
- 더 이상 호기심을 느끼지 못할 때
- 분노가 사라지고 그 자리를 연민이 채울 때

그 밖에 '몸이 말할 때'라고 정리될 수 있는 테두리에 포함되는 여러 증상들이 다양하게 거론되었다.

- 달콤한 것에 입맛이 당길 때
- 9시 뉴스를 보다 잠이 들 때
- 오후 늦게 커피를 마시면 잠이 잘 안 올 때
- 하룻밤을 새우면 회복하는 데에 일주일이 걸릴 때
- 지하철에서 자리가 나기만을 노리게 될 때

등등 자신의 의지와 상관없이 자신의 몸이 나이를 알려 줄 때 도리 없이 자신의 늙어감을 인정하지 않을 수 없다고들 입을 모았다.

나는 그 자리에서 즉흥적으로 열거된 수많은 노년의 증후 가운데 단 한 가지로부터도 벗어나지 못했다. 그중에서도 나는 내 전매특허라고 생각했던 호기심이 거의 말라 버렸다는 사실을 눈물을 머금고 인정해야 했다.

시몬 드 보부아르도 『노년』이란 책에서 호기심의 상실이야말로 노년의 특징이라고 거듭 강조했던 걸로 기억한다. 그렇다면 인간은 결국 하늘 아래 새로울 것이 없다는 깨달음을 얻자 늙어 가고 그 깨달음을 안고 죽는 것일지도 모르겠다. 거꾸로 생각할 수도 있겠다. 인간은 어쩌면 죽음이라는 새로운 경험에 대한 마지막 호기심을 충족시키기 위해 기꺼이 죽음을 택한다고 볼 수도 있을지.

난 유달리 호기심이 많았다. 호기심이 많으니 먹고 싶은 것도 많고 하고 싶은 일도 많았다. 우리 아이들이 보기에도 엄마는 호기심 덩어리였나 보다. TV를 보다가 이색적인 풍물이나 이색적인 직업이 소개될라치면 모두들 아이구, 우리 어머니, 저런 거 또 보고 싶고 하고 싶어서 어쩌나, 하고 놀릴 지경이었다.

호기심이 많다 보니 한 가지 일을 진득이 하지 못하고 여기 기웃 저기 기웃 하다가 이 나이에 이르고 말았던 거다. "한 우물을 판다고 해서 반드시 깊게 파는 것은 아니다."라는 변명을 앞세우며.

그래서 내 호기심은 아마 무덤에 가야 사라질 거라고 예상했는데, 언제부터인가 그 왕성하던 호기심이 야금야금 사그라들기 시작하더니 지금은 흔적만 남았다. 누군가 새로운 일을 꾸민다고 하면 뒷감당도 못하면서 내 일처럼 신이 나서 끼어들곤 했는데 이젠 그 일에 나를 끌어들일까 봐 겁부터 난다. 급기야는 새로 맡겠다고 약속까지 해 놓은 일을 건강상태를 끌어대며 취소하는 무책임한 일까지 겁 없이 저지른다. 그래 놓고도 미안한 마음보다 안도감이 더 크다. 나중에 쩔쩔매는 것보다 미리 실없는 사람이 되는 게 낫다 싶어서였다.

그렇지만 호기심이 흔적조차 사라지지는 않았나 보다. 무라카미 하루키의 산문집에서 크레타 섬 이야기를 읽고 그래, 나도 그리스 말을 배워 크레타 섬에 가서 한 6개월 지내다 올까 했던 꿈이 가끔씩 되살아나는 걸 보면. 그러나 그리스 말을 어디 가서 배워야 좋은지 알아보는 단순한 일도 겁나고 귀찮아 꼼짝 않고 앉아 있다.

내 경우에 호기심은 그렇게 사라져 갔지만 분노는 간단하게 자리를 내어주지 않는다. 그날 그 모임에서도 나이듦에 따라 분노가 점점 사라지고 그 자리를 연민이 메운다는 의견에 대해서 한 사람이 강력히 부인했다. 그는 생물학적 나이가 가장 많은 여성이었다. 그는 아직도 사회정의에 어긋나는 짓들을 보면 격렬한 분노가 끓어올라서 어쩔 줄 모르겠다고 격정적으로 토로했다. 그러고 보니 그는 외모도 젊은이처럼 싱싱했고 온몸에서 강한 에너지를 뿜는 게 느껴졌다.

그보다 10년 이상 젊은 여성 하나는 마음에 안 드는 사람을 보면 전에는 분노를 느꼈지만 지금은 연민을 느낀다고 했다. 그는 자신이 늙는다는 생각보다 성숙해 가고 있다는 생각이 들어서 기분이 좋다고 고백했다. 과연 그의 얼굴은 불과 2, 3년 전에 비해서 상당히 달라 보였다. 평화롭고 부드러워 보였다.

그런데 분노에 관한 한 나는 뒤죽박죽이다. 커다란 일에 대해서는 무감각해진 대신 사소한 일에 대해서는 점점 참을 수 없어진다.

전과 달리 요즘엔 TV 뉴스를 보다가 정치 때문에 흥분하는 일이 거의 없다. 남편은 아직도 흥분하며 욕을 하지만 나는 정치인의 행태를 보면 코미디언을 보는 기분이라 오히려 웃음이 날 때가 많다. 늘 반복되는 양상에 신물이 나 어느새 분노하는 일조차 덧없게 여겨지기 때문이다. 내가 아무리 분노해 봤자 정치인들의 얼굴은 항상 윤기가 나고 혈색이 너무 좋아 보이잖는가.

그보다는 상대적으로 사소하게 다루어지는 사건들, 예를 들면 신장을 팔아 주겠다고 사기를 친 일, 메밀가루에 공업용 숯을 섞어 국수를 만드는 일 같은 파렴치한 뉴스를 접할 때는 마음 깊은 곳으로부터 엄청난 분노가 끓어오른다. 오히려 젊었을 때는 '사람이 오죽하면 그런 짓을……' 이라는 식으로 연민을 느끼기도 했는데 나이가 들수록 분노의 정도가 더욱 높아져 간다. 사람이 살면 얼마나 산다고, 돈을 벌면 얼마나 번다고, 적어도 사람이라면 저렇게 살아서는 안 된다는 생각이 점점 강해진다.

뉴스거리도 되지 않는 더 사소한 일들에 대해서도 분노는 날이 갈수록 거세어진다. 지하철역에서 새치기하는 사람들, 농촌 길을 달리면서 차창 밖으로 마구 쓰레기를 버리는 사람들, 음식점에서 종업원들에게 야, 자, 하는 사람들을 보면 분노를 넘어서 폭력욕구까지 느낀다. 트로트 메들리를 크게 틀어 놓은 버스 운전사를 보면 멱살잡이를 하고 싶어진다. 고만고만한 아이들을 뒷자리에 태운 채 고속도로를 과속질주하는 자가용차를 보면 분노는 거의 살의 수준으로 치닫는다.

집에서 한 발만 나가면 온 천지사방에 널려 있는 이런 사소한 일들에 대한 분노를 삭이면서 사느라고 내 속은 들끓는다. 그래서 나날이 흰머리가 늘어나고 자고 나면 피부가 거칠어지는 모양이다. 어떻게 해야 사소한 것들에 대한 분노를 잠재울 수 있을까. 더 나이 들면 사그라들까.

텅 빈 집

그 고요가 견디기 힘들어 서성거리는 내가 우습다.
한창 재밌게 노는 애들에게 제발 한순간이라도 조용해 줄 수 없냐고
사정했던 나는 어디로 갔는가. 너희들 때문에 엄마가 아무
것도 할 수 없다고 푸념하던 나는 어디로 갔는가.

겨우 두 살씩밖에 차이가 안 나는 아이들인데도, 그래서 세 아이들 모두 20대 청년이 되었음에도 막내는 왜 항상 어리게만 생각되는지 모르겠다. 다른 엄마들에게는 자녀들을 동등하게 대해야 한다고 누누이 강조하면서도 정작 자신은 큰애, 둘째, 막내를 대할 때 말씨와 표정부터 저절로 달라지니 이런 엉터리가 또 있을까.

아무튼 그 막내가 지난봄 군대에 들어갔다. 다 큰 장정한테 이게 웬 과잉보호냐는 남편의 맹렬한 반대에도 굴하지 않고 끝끝내 그를 설득해서 논산훈련소까지 차로 태워다 주게 만들 정도로 난 마음이 짠한

걸 숨기지 못했다(솔직히 말하면 남편은 나의 설득에 넘어간 게 아니라 둘째가 차분한 어조로 "그건 과잉보호가 아닙니다. 부모님으로서의 관심이죠."라고 한마디를 거들자마자 순식간에 넘어갔다).

훈련소는 입구에서부터 마치 축제 분위기를 풍겼다. 가족과 연인, 그리고 친구들까지 함께 온 일행이 최소한 대여섯 명은 되는 것 같았다. 남편은 자신이 군대에 들어가던 때와 비교하여 격세지감을 느끼는지 연신 혀를 찼지만 나는 과잉보호 하는 엄마라는 누명을 벗었다는 생각에 마음이 편해졌다.

눈시울이 붉어지기는커녕 여느 때처럼 생글생글 미소를 띠는 막내를 들여보내 놓고 집으로 돌아오니 그 사이 휑하니 빈 듯한 집이 나를 맞았다. 한나절 만에 집이 요술을 부린 것 같았다.

막내의 빈자리가 이렇게 컸다니. 둘째가 자기 집을 사서 독립해 나갔을 때도 공간이 넓어지는 느낌이었지 집이 빈다는 생각은 들지 않았었다. 도대체 막내의 존재는 엄마에게 어떤 의미인가.

그렇다고 아직은 세 아이들이 몽땅 다 떠난 것도 아니다. 큰아이가 아직 집에 남아 있다. 그런데도 큰애는 이미 집을 떠난 것 같다. 현역 대신 건설회사에 산업기능요원으로 들어간 큰애는 며칠씩이나 얼굴 보기가 힘든 하숙생이었기 때문이다. 일 년 넘게 싱가포르에서 근무하느라고 집을 나가 있었던 큰애는 요즘 내가 한창 잠들어 있는 새벽 여섯 시경에 집을 나가서 내가 이미 잠이 든 자정을 전후해서야 집에 돌아온다. 집에서 밥을 먹는 적은 거의 없다.

큰애가 다니는 회사는 사람을 쥐어짜기로 정평 있는 기업이다. 하지만 아무리 그렇더라도 요즘 같은 세상에 젊은 사람을 하루도 빠지지 않고 밤늦게까지 부려 먹지는 않을 터이다. 아마도 퇴근 후의 사교생활이 아주 화려한 것 같다. 바지를 세탁하려고 주머니를 뒤질 때마다 연극이나 영화표가 한 움큼씩 나온다.

한집에 살면서도 대화를 할 시간이 없으니 꼭 연락할 사항이 생길 경우엔 거실 벽에 걸어 놓은 조그만 칠판(화이트 보드)에 적어 놓는다. 내일 저녁 할아버지 제사에 꼭 참석 요망이라든가, 엄마 아빠 백암 온천 4박 5일 갔다 옴이라든가, 훈 고등학교 동창생 아무개 꼭 연락 바람이라든가……. 혹시라도 그냥 지나칠까 봐 느낌표를 두세 개씩 덧붙여서(!!!).

막내도 떠났으니 이젠 네가 재롱을 피워야 한다고 엄포를 놓아 봤지만 큰애 얼굴을 보기란 여전히 가뭄에 콩 나기이다. 오히려 막내 밥해 줄 일도 줄어들었으니 이젠 진짜 해방을 즐기실 때가 아니냐고 느물거릴 뿐이다.

그래, 맞아. 이젠 정말 나 하고 싶은 일을 마음껏 하자고 다짐해 보지만 그것도 잠시, 공연히 서성이며 이 방 저 방을 기웃거리며 시간을 죽인다. 보지도 않을 TV를 켜서 집을 꽉 채우고 있는 적막을 지워 버린다. 지금 내가 있는 이 상황, 이 공간이 아무래도 나하고 걸맞지 않은 것 같기만 해서 마음이 안정되지 않는다.

그도 그럴 것이 이 나이가 되도록 지금처럼 고요하고 텅 빈 공간에 놓여 본 적이 언제 있었단 말인가. 태어나서 지금까지 내가 있었던 곳은 언제나 좁고 시끌벅적한 곳이었다. 결혼하기 전까지는 세 칸짜리

게딱지 같은 집에서 여섯 남매가 복작거렸었다. 결혼해서 아이 셋을 낳을 때까지 살던 열두 평짜리 아파트는 아이들 장난감만으로도 공간이 모자랐다.

막내가 학교에 들어갈 무렵까지 우리 집은 늘상 어린아이들과 젊은 엄마들의 마실터였다. 애 맡길 사람도 없었고, 자가용차도 없었던, 그래서 혼자만의 외출은 꿈도 못 꾸고 지냈던 30대, 그때를 나는 친구들이나 이웃들과의 지칠 줄 모르는 수다로 그런대로 무난히 건널 수 있었다.

아이들이 모두 중고등 학생이었던 시절 우리 집은 또 다른 북적거림으로 항상 소란스러웠다. 도시락을 서너 개씩 싸느라고 새벽녘부터 설쳐야 했던 그 분주함, "학교 다녀오겠습니다."를 남기고 뛰어나간 아이 뒤에서 연이어 세 번씩이나 아파트 건물을 통째로 부술 듯이 쾅 하는 소리를 내면서 닫히던 현관 문, 그리고 오후가 되면 세 아이들이 모두 각자 친구들을 데리고 귀가하던 그 시끌벅적함, 혹시 자기만 빠질세라 경쟁적으로 라면을 끓여 먹던 그 아우성들. 어느 날인가는 셋이 데리고 온 도합 열여섯 명의 아이들이 벗어 놓은 항공모함 같은 운동화 더미 때문에 현관 문이 닫히지 않는 때도 있었다(아파트에서 그렇게 소란을 피우면 쫓겨나지 않느냐고? 그럴 줄 알고 우린 20년 동안 줄곧 아파트 1층에서만 살았다).

그때로선 영원히 소란스러울 것만 같던 집은 언제부터인가 하루하루 조용해져 갔다. 다시 사회생활을 시작한 내가 점점 바빠지고 큰애가 대학에 들어갈 무렵부터였나 보다. 그래도 밤이 이슥해지면서 귀가

64

하던 덩치 큰 아이들 때문에 집 안은 꽉 찼었다. 한 3년여 동안 남편이 중국에서 사업을 한다고 집을 비웠을 때에도 집이 넓어졌다는 느낌은 들지 않았다. 오히려 조금 더 넓은 공간을 갖고 싶어 머리 속에선 틈틈이 돈 계산을 하고 살았다. 모아 놓은 돈이 있었던 것도 아니었기에 살던 집을 팔고 그 돈으로 더 넓은 집을 살 수 있는 외곽 지역의 아파트를 물색해 보기도 했다. 한 치 앞을 내다볼 수 없는 게 인생이라는 걸 배워야 했던 덕분으로 이태 전 약간 더 좁은 아파트로 이사를 해야 했지만.

막내가 떠나자 집이 순식간에 넓어졌다. 예전에는 집이 넓으면 집 안이 조용해질 거라고 생각했었는데 실제로는 집 안이 조용해짐에 따라 집이 넓어지는가 보았다. 어제까지 꽉 찼던 집이 하루 사이에 텅 비었다. 그 텅 빈 집은 남편과 나 단둘이 살기에는 대책 없이 넓어 보인다. 집이라는 게 이렇게 고요할 수도 있는 거구나.

그 고요가 견디기 힘들어 서성거리는 자신이 우습다. 한창 재미있게 노는 아이들에게 제발 한순간만이라도 조용해 줄 수 없냐고 사정사정하던 나는 어디로 갔는가. 너희들 때문에 엄마가 아무것도 할 수 없다고, 엄마가 가엾지 않냐고 푸념하던 나는 어디로 갔는가. 아무도 나를 훼방 놓지 못하는 조용한 곳에서 글도 쓰고 사색도 하고 싶다고 간절히 원했던 나는 어디로 갔는가.

이제 막내만 군대에 들어가면 그날부터 당장 무시무시한 생산성을 발휘해서 밀렸던 책을 몇 권씩이고 써제낄 수 있다고 큰소리 뻥뻥 쳤는데, 정작 집 안이 '너무' 조용해서 아무것도 못하겠다고 말을 바꾸

다니 변덕도 이런 변덕이 또 없다.

그래서 젊었을 적, 아이들 때문에 잠시도 쉴 수 없다고 짜증을 내면 우리 어머니들이 "이제 늙어 봐라, 그래도 애들 키울 때가 젤 좋았지." 하고 협박성 위로를 했었나 보다. 난 그때 속으로, 당신들은 애 키우는 것밖에 몰라서 그렇지 난 다릅니다, 고 건방을 떨었었다. 그러던 내가 막내가 떠나자마자 "그때가 좋았어."를 읊어댈 줄이야.

이럴 줄 알았으면 둘째가 독립해 나가는 걸 말려야 했었는지 모르겠다. 자기 때문에 다른 가족의 사생활이 침해받는 게 미안해서 나가야겠으니 집을 좀 물색해 달라고 점잖게 말을 꺼냈을 때 그 애의 속마음을 모른 척, 아냐, 괜찮아, 가족인데 미안하긴 뭐가 미안하다고 그러니, 하며 붙잡는 게 나았었나. 경제적 정서적으로 이미 독립했던 그 애를 그냥 어린 아들 취급하며 매달릴 걸 그랬나. 결혼도 안 한 아들을 지가 나간다고 그렇게 내보내면 어떻게 하냐고 나를 딱한 눈으로 바라보는 사람들도 많더구먼.

웬 헛소리. 아이들의 독립을 기뻐해야 할 엄마가 그걸 아쉬워하다니 뭐가 잘못돼도 한참 잘못됐다. 텅 빈 집에서 서성거리는 마음을 잡아줄 사람은 떠나간 아이들이 아니라 바로 나 자신이다. 홀로 서자.

3장 │ 돌아오는 남편들

남편들, 집으로 향하다

여보, 나 돌아왔어. 다정히 부르는 소리에 웬걸,
아내들은 가슴이 철렁, 얼굴은 흙빛으로 변한다.
이성적으로 생각하면 그래선 안 된다고 다짐해 보지만
반가운 마음보다 부담스런 마음이 먼저 앞서는 걸 어쩌랴.

젊어 한때는 그토록 내 곁에 있어 달라고 외쳐도 그저 바깥으로, 바깥으로 돌던 사람들, 남편들이 집으로, 집으로 돌아오고 있다. 젊다고 하기엔 좀 늦었고, 늙었다고 하기엔 좀 이른 '어정쩡한' 나이에.

그들, 564 아줌마들의 남편들은 어떤 사람인가. 잘살아 보겠노라는 일념 아래 새벽 달빛을 받으며 일터로 향했던 이들. 아이들 교육에서부터 부모님 수발까지 일체의 집안일을 아내에게 떠맡겼던 이들, 여자의 세계는 남자이지만 남자의 세계는 온 세상이라며 우쭐해 하던 이들, 죽어라 일하면 황홀한 노년은 저절로 보장되리라고 철석같이 믿었

던 이들. 그들이 자신이 계획했던 것보다 훨씬 빨리 '그들만의 세상'
으로부터 밀려나고 말았다. 나이가 더 이상 경륜으로 인정받지 못할
뿐만 아니라 부끄러운 무엇으로 취급받는 세태 속에서 그들은 순식간
에 추방당했다.

이제 '내 쉴 곳은 오직 내 집뿐' 이라는 노래에 한 가닥 희망과 자존
심을 걸고 그들은 집으로 가는 길에 올랐다. 세상에 배반당한 그들은
이제 여생의 길동무로 남은 아내로부터 위로받기를 기대했다.

여보, 나 돌아왔어. 다정히 부르는 소리에 웬걸, 아내들은 가슴이 철
렁, 얼굴은 흙빛으로 변한다. 이성적으로 생각하면 그래선 안 된다고
다짐해 보지만 반가운 마음보다 부담스런 마음이 먼저 앞서는 걸 어쩌
랴. 시대와 상황이 밀어낸 남편을 나 아니면 누가 따뜻하게 품어 주겠
느냐고 애써 부드러운 미소를 띠어 봐도 이미 입가는 이지러진 상태
이다.

지금 중노년에 이른 부부들은 결혼한 지 2, 30년이 지나는 동안 진
정으로 '함께 사는 법'을 배운 적도 없고 훈련을 받은 적도 없다. 그들
은 외계에서 온 사람들처럼 서로에게 낯설다. 거의 하루 종일을 한공
간에서 보내지만 그들 사이엔 별로 할 이야기가 없다. 지척이지만 천
리처럼 느껴지는 그들 사이의 거리를 무엇으로, 어떻게 메우느냐 하는
문제는 보통 심각한 고민거리가 아니다.

돌이켜 보면 나이 들어서 사이좋게 지내기란 젊었을 때보다 몇 배나
어려운 일이라는 것을 젊었을 때 어렴풋이 예감했던 기억이 난다. 고
만고만한 아이들과 날마다 전쟁 치르듯 살던 30대 초중반, 남편을 일

70

터로 보내 놓고 또래 아줌마들끼리 모이면 아이들을 어떻게 키워야 하는가라는 문제만큼이나 늙으신 부모님에 대한 걱정이 단골화제로 등장하곤 했다. 하루가 다르게 표가 나는 부모님의 건강도 걱정거리였지만 그보다 더 큰 골칫거리(?)가 있었으니 바로 부부간에 사이좋은 예를 보기가 너무 드물다는 사실이었다.

젊었을 때부터 크고 작은 문제로 노상 티격태격했던 분들은 말할 것도 없거니와 당대의 일반적인 부부들에 비해서 꽤 금슬이 좋은 걸로 알아 왔던 부모님이 날이 갈수록 삐걱거리고 심지어는 원수도 그런 원수가 없다고 고민하는 친구들이 여럿 있었다.

어떤 친구의 부모는 딸네 집에 올 때마다 번번이 따로따로 오는데 그 이유는 아버지는 꼭 지하철을 타야 하고 어머니는 꼭 버스를 타야 한다고 고집을 부리기 때문이다. 그러면서 상대방이 고집불통이라고 주장한다는 것이다. 집에 돌아가실 때는 승용차로 모셔다 드리는데 집에 도착할 때까지 두 분이 단 한마디도 나누지 않는다고 했다.

물론 부모님 사이가 어떤지에 관해서는 대부분 어머니를 통해서 정보가 들어오게 마련이다. 어머니들의 가슴은 아버지에 대한 불만으로 가득 차 있는 것 같았다. 어머니들의 말은 어쩜 그렇게 한결같던지.

"나 같은 바보니까 평생을 너희 아버지하고 살았지 다른 여자들 같으면 하루도 못살았다."

우리가 어렸을 때 부모님 사이가 그런대로 좋았다고 믿어 왔던 것은 두 분 사이에 바깥으로 들릴 만큼 큰 소리가 난 적이 별로 없었기 때문이었다. 우리 아버지들은 일방적으로 지시를 내렸고 우리 어머니들은 일방적으로 순종했었다. 아버지가 권위적이고 고집불통일수록 집안은 조용했고 우린 그런 집을 화목한 가정이라고 불렀다. 간혹 친구네 놀러 갔다가 어린 내 눈에도 대차고 기가 세 보이는 친구 엄마를 보면 마음속으로 그 친구를 얼마나 동정했는지 모른다.

젊었을 때 순종적이었던 어머니들일수록 가슴속에 쌓아 둔 불만이 더 많다는 걸 이해할 만큼 나이가 든 딸들은 같은 여성의 입장에서 어머니가 안쓰러워 감싸 드리고 싶지만 그렇다고 마냥 어머니 편만 들 수도 없는 입장이다. 그토록 단단해 보이던 아버지가 해가 갈수록 초라해져 가는 모습이 너무 애처롭기 때문이다. 그래서 독한 마음으로 어머니에게 차가운 말을 던지기도 한다.

"평생을 참고 살았으니 앞으로 조금만 더 참고 사세요(아니, 이건 어떤 판사님이 황혼이혼에 대해서 하신 말씀 같잖아?)."

"아버지가 그렇게 된 건 애초부터 엄마가 그렇게 길을 들여 놓았기 때문인데 이제 와서 뭘 그래, 자업자득이지(이건 상처에 소금 뿌리는 얘기)."

"엄마 남편인데 엄마가 해결해야지 왜 나한테까지 갖고 오는 거야. 나 사는 것만 해도 골치 아파 죽겠는데(딸이라고 요렇게 매정해서야 어디 딸 키우는 맛이 있나)."

나의 부모는 그 세대로선 보기 드물게 금슬이 좋은 부부였다. 자식들한테는 일생 선물이라곤 할 줄 모르던 아버지였지만 어머니한테는 속옷까지 사다 줄 정도로 정분이 유난했다. 그런데도 언제부터인지 어머니 마음속엔 아버지에 대한 미움이 차곡차곡 쌓였나 보았다.

어느 날인가 일흔이 다 되어 가던 어머니가 생전 처음으로 우리 집에 혼자 왔다. 조그만 보따리 같은 걸 들고. 어머닌 워낙 말주변이 없는 분이었다. 성격적으로도 말 많은 사람은 딱 질색이었다. 그러던 분이 울먹울먹한 목소리로 아버지 흉을 쏟아 냈다. 주제는 역시 대부분의 어머니들이 문제로 제기하는 '고집통이와 좁쌀영감'으로 모아졌다. 무슨 남자가 그렇게 자기 주장만 하느냐, 잔소리는 왜 그렇게 끊이지 않는지 정말 못살겠다는 것이었다. 평소에도 살가운 데라곤 눈꼽만큼도 없는 이 맏딸이 별로 귀담아듣는 것 같지 않은지 어머니는 갖가지 사례를 들어 가며 아버지의 나쁜 점들을 늘어놓았다.

한 30분쯤은 참고 들었지만 결국 난 냉정한 딸이었다. 엄마 그만해 둬. 엄마 세대에 그만한 남편 둔 여자 있으면 나와 보라고 그래. 아버지한테 50년 넘게 사랑받아 왔으면 이젠 엄마도 베풀 때가 됐잖아. 그리곤 이어 직격탄을 날렸다. 엄마네 딸 넷 중에 엄마만큼 호강하는 딸 있는 줄 알아?

어머니는 아무도 자기 속 썩는 거 알아주는 사람 없다면서 눈물을 펑펑 쏟다가 보따리를 들고 집으로 돌아갔다. 몇 년 뒤 아버지가 세상을 뜨자 어머니에겐 아버지에 대한 좋은 추억만이 차곡차곡 쌓여 가고 있다.

아무튼 젊은 시절 우리는 '모름지기 부부란 갈라서려면 일찌감치 깨끗하게 갈라서고 그럴 마음이 없으면 늙어서도, 아니 늙어 갈수록 사이좋게 지내야 한다. 그게 본인들에게도 좋거니와 무엇보다 자식들한테 큰 부조'라는 데 입을 모았다. 혹 남편이 못마땅하더라도 자식들 앞에 놓고 남편 흉을 보는 짓만은 절대 금물이라고 다짐했었다.

그런데, 그런데 이게 웬일일까. 어느 날 나의 남편도 집으로 돌아온 대열에 끼어 있었고, 난 틈만 나면 다 큰 아이들 앞에서 남편 흉을 보는 대열에 끼어 있었다. 남편이 바깥으로 돌 때는 그게 불만이었는데 곁에 있으니 또 그게 불만이다. 젊었을 때는 집안일엔 신경도 안 쓴다고 불평했는데 이젠 집안일을 거든다고 나서는 게 거추장스럽다.

남편도 당신은 바깥에서는 그럴듯한 말만 하고 다니면서 집에서는 왜 딴판이냐고 매섭게 비판한다. 가슴이 뜨끔하지만 그것도 잠시, 내 입에서는 남편 자존심 할퀴는 소리만 잘도 터져 나온다.

"아무것도 모르고 결혼한 내가 잘못이야."

어쩌다 얼굴을 보는 아이들에게 아버지 흉을 볼라치면 본전도 못 찾는다.

"너희 아버지는 말이지." 하고 말문을 열자마자 막내가 손을 내젓는다.

"두 분이 사랑해서 그 어린 나이에 결혼하셨잖아요. 30년 전 그때를 생각해 보세요."

둘째는 한 발 더 나간다.

"30년 동안 그 수많은 이혼의 기회를 다 놓치고 나서 이제 와서 새삼 왜 그러세요?"

세상에. 엊그제 같은데 벌써 30년이라니. 또 연애는 몇 년씩이나 했었는데. 사랑의 최대 시효는 3년이라더니 정말 그렇군. 이 남자와 과연 사랑해서 결혼했는지 기억이 가물가물한 걸 보면.

요즘은 갖가지 강연도 많더구만 어디 '돌아온 남편과 더불어 살기'에 대해서 기똥차게 가르쳐 주는 사람 없나. 하지만 누가 몰라서 못하나. 모자라서 못하는 거지.

겨울 바닷가에서

밥을 안 해도 되는데, 구질구질한 일상에서 벗어났는데, 왜 싸우나.
아내와 남편의 역할을 벗어나서 여행친구가 되면 아무리 둘러봐도
싸울 일이 없다. 길을 떠나는 그 순간에 이미 팽팽했던 신경줄이
느슨해져서 둘 다 예전의 털털한 성격으로 돌아가니 즐길 일만 남는다.

겨울 바다를 보러 갔다. 한동안은 해마다 거의 빼놓지 않고 동해에
갔었는데 올 정초에는 서해로 방향을 틀어 대천으로 향했다. 뜨는 해
보다 지는 해를 보고 싶었다. 동행은 한 사람, 남편이었다.

도착한 날 저녁부터 눈발이 날리기 시작하더니 이튿날에는 하루 종
일 함박눈이 쏟아졌다. 온 세상이 하얗게 덮였다. 언젠가 보았던 추리
영화에서처럼 사흘 동안 꼼짝없이 숙소에 갇혔다. 차를 타고 멀리까지
못 나가는 대신 저녁 무렵이면 매일 눈 쌓인 해변을 걸었다. 하지만 나
흘째 되는 날에도 구름 때문에 지는 해를 볼 수 없었다. 동해에서 해돋

이를 보는 걸 행운으로 치듯이 서해에서도 일몰 구경은 역시 행운에 속하는가 보았다.

세상사가 다 그렇듯 관광지에도 부침이 있다. 나 어렸을 때는 최고의 피서지로 대천이 꼽혔었다. 해마다 여름이 오면 신문에는 늘 사람들로 북적이는 대천 백사장 사진이 실렸었다. 빠듯한 가정형편 때문에 피서여행은 꿈도 꾸지 못하고 자란 나는 대천에 간 사람들이 외계인처럼 보였다. 개학 후 학교에 가면 온 가족이 솥단지를 메고 기차를 타고 대천에 갔다 왔노라고 자랑하던 아이들이 있었다.

내가 아이들을 데리고 피서여행을 갈 나이가 되자 대천은 이미 시들어 가고 있었다. 교통편이 수월해지면서 동해가 새로운 피서지로 떠올랐다. 새파란 동해바다에 비하면 대천의 바닷물은 어쩐지 추레해 보였다. 피서지 분위기도 서민적, 더 냉정하게 말하면 좀 구질구질하다는 평가를 받았다. 어떻게 보면 그동안 오랜 호황에 길들여진 피서지 상인들이 변화하는 욕구에 안일하게 대처를 한 결과라고 할 수 있다.

아무튼 나도 동해에는 작년에 다녀와도 올해 또 가고 싶은데 서해는 어쩌다 한 번 가도 그 다음으로 이어지지 않았다. 10년에 한 번쯤 가는 걸로 족했다. 더구나 피서철도 아닌 정초에 일부러 남루한 바다를 찾아가 지는 해를 볼 건 뭐람. 마지막 가 본 게 3년 전이었다. 그때는 가을이었는데 손님이 드문 횟집에서 시켜 먹은 회가 한물간 것이었는지 밤새 뱃속이 꾸르륵거렸다.

그런데 겨우 3년밖에 안 지났는데 대천은 영 딴판으로 변해 있었다. 무질서하게 들어서 있던 상가들도 가지런히 정리되어 있었고, 어디서

퍼다 부은 듯한 해변의 모래밭에는 젖은 휴지 조각 하나 보이지 않았다. 손님맞이 준비가 완벽하게 갖춰져 있었다. 그러나 날씨 탓인지 사람들이 별로 눈에 띄지 않았다.

성수기의 북적거림이 사라져 적막하기만 한 겨울 바닷가를 걷노라니 서울에 있는 동안 내내 메말랐던 마음이 금방 포근해지고 촉촉해지는 느낌이었다. 내 마음의 메마름은 서울의 겨울가뭄 때문이었을까, 아니면 나이 탓?

나이가 들면 너그러워질 줄 알았다. 나이가 들수록 너그러워져야 한다고 생각했다. 실제로는 그 반대이다. 나이가 들수록 섭섭한 것도 많아지고 원망도 커져 가는 것이 나날이 속이 좁아져 간다. 그래도 아직까지는 체면은 살아서 남들에겐 아주 너그러운 표정을 지어 낸다. 오랜만에 만난 친구는 감탄한다. 어머, 너는 아직도 그렇게 잘 웃는구나 하고. 하지만 가장 가까이 있는 이들에겐 진면목을 드러내고 만다. 송곳 같은 마음을.

나이 들면 결국 친구와 남편밖에 없으니 있을 때 서로 아끼고 사랑해야 한다. 남들한테는 교과서를 외우듯이 힘주어 말하면서 정작 나는 구제불능이다. 그래도 다행히 친구는 한집에서 살지 않으니까 어느 정도 감정 조절이 가능하다. 남편은 언제라도 감정의 폭력에 휘둘릴 위치에 있다.

젊었을 때는 나중에 아이들을 다 키우고 나면 남편하고 친구처럼 오순도순 살 줄 알았다. 같은 동아리에서 만나 오래 사귀어 오는 동안 대화가 마를 짬이 없었기에 나이 들면 잉꼬는 못 돼도 비둘기 정도는 되리라고 기대했다.

그런데 그게 뜻대로 되지 않는다. 예전 같으면 깔깔대며 흘려들었을 말 한마디에서도 뼈를 찾아내고 즉각 비수를 품은 말로 답한다. 난 그동안 내가 남편을 있는 그대로 사랑하며 살았다고 생각했는데 그게 오해였음을 깨달았다. 내가 '있는 그대로'라고 생각했던 남편은 실은 내 '틀 속에 있는 그대로'의 남편이었다. 결혼 이후 25년 동안 남편은 한결같이 아침이면 일터로 나가거나 외국 출장을 떠났었다. 말하자면 하루의 2분의 1도 함께 있어 보지 않은 사이였다.

이젠 상황이 달라졌다. 남편과 함께 지내는 시간이 엄청나게 길어졌다. 이러한 상황이 너무 낯설어 금방 적응이 안 된다. 남편도 마찬가지이다. 내 눈에는 남편이 전에 알던 남편과 달리 보이기도 한다. 전에는 코끼리 발바닥처럼 무딘 사람이라고 생각했는데 알고 보니 놀랄 만큼 예민한 구석이 있다. 남편도 내가 태평스럽고 과단성 있는 여자라고 봤는데 실제론 소심하고 우유부단한 성격의 소유자라며 놀란다.

전에는 둘 다 탁월한 유머 기질을 가졌던 것 같았는데, 그래서 집 안에 웃음소리가 높았던 것 같은데 둘이 함께 있으면서부터 농담은커녕 대화 자체가 급속도로 줄어들어 간다. 식사 시간은 넘치는 화제로 늘 시끌벅적했었는데 이젠 수저 소리만 들릴 뿐이다. 나는 대화를 안 하면서 밥을 먹으면 밥이 목구멍으로 안 넘어가는 줄 알았었다. 혹시 넘어가더라도 위 속에서 밥알이 곤두서는 줄 알았었다. 이젠 어쩌다 아이들이 함께하는 식탁에서나 입을 열게 된다.

남편은 이 모든 변화가 다 내 마음 때문이라고 한다. 내가 남편과 함께 있는 걸 못마땅하게 여기기 때문이라고 한다. 자기는 아무 문제가 없단다.

맞는 말이다. 생각해 보면 전에도 집에서 웃고 떠든 건 주로 나였다. 남편은 주로 듣고 웃는 쪽이었다. 20년 이상을 그런 구도로 길들여져 왔던 거다. 그런데 내가 입을 다무니 웃음이 끊어질밖에. 웃음이 없이 지내니 신경이 날을 세우고, 너무나 시시해서 말하기도 창피한 건수 — 점심에 라면을 먹을까 빵을 먹을까, 또는 몇 시에 점심을 먹을까 하는 문제 같은 것 — 갖고도 금방 기싸움으로 발전한다.

사소한 부딪침이 늘어나는 것은 새로운 상황에 적응하기 위해 거쳐야 할 과정이라는 걸 안다. 마음을 긍정적으로 먹으면 순식간에 풀릴 문제라는 것도 잘 안다. 행복론에서 되풀이해 강조하듯 '지금 여기'를 소중히 여겨야 한다는 것도 너무 잘 안다. 그럼에도 불구하고 집에 계속 머물러 있는 한 나는 그게 잘 안 된다. 성숙한 사람들은 앉은 자리에서도 자신을 다스릴 줄 안다는데 난 어림없다.

나이를 헛먹었는지 나는 일상의 굴레를 벗어나서야 비로소 자신이 추스려지는 미련한 존재이다. 그래서 나는 자주 길로 나선다. 집에서는 못마땅했던 남편이 길 위에서는 다시 친구로 보인다. 여행을 간다고 알리면 간혹 아이들은 걱정스런 표정으로 침을 준다. "여행 가시면 사이좋게 지내세요." 괜한 걱정일랑 붙들어 매서.

친구들 중에는 자기네 부부는 집에서는 사이좋게 지내는데 어쩐 일인지 여행만 떠나면 대판 싸우고 결국 말도 안 하고 지내다가 돌아온다는 이들이 의외로 많다. 어떤 이들은 그런 일을 몇 번씩 겪은 후부터는 아예 부부동반 여행은 생각도 안 한단다. 여자친구들끼리 가는 게 훨씬 편하고 재미있단다. 그래서 그런지 곰국을 한 솥씩 끓여 놓았는지 어쨌는지는 모르겠지만 여자친구들끼리 여행 다니는 팀을 곳곳에서 만날 수 있다. 특히 여행기간이 긴 해외여행의 경우에는 더 많다.

"어떻게 안 싸우세요?"

노상 싸운다는 어떤 여성이 물었다. 왜 안 싸우는지 그 이유를 생각해 본 적이 없던 나는 순간 생각보다 말이 앞서 튀어나왔다.

"밥을 안 해도 되는데 왜 싸워요?"

와, 정답이다.

밥을 안 해도 되는데, 구질구질한 일상에서 벗어났는데, 왜 싸우나. 아내와 남편의 역할을 벗어나서 여행친구가 되면 아무리 둘러봐도 싸울 일이 없다. 길을 떠나는 그 순간에 이미 팽팽했던 신경줄이 느슨해져서 둘 다 예전의 털털한 성격으로 돌아가니 즐길 일만 남는다. 아주 오래전부터 우린 노는 데 있어서만은 죽이 잘 맞았다. 둘 다 아침잠 많고 술 좋아하고 커피 좋아하고 맛있는 거 찾아 먹는 데 열심이다.

그러니 앞으로 계속 사이좋게 살려면 우린 길 위에서 살아야 한다. 객관적으로 그렇게 못할 이유도 없는데 그게 또 쉽지 않다. 산다는 건 생각보다 꽤 복잡한 일이기 때문이다. 그저 마음이 더 이상 메마르다간 바스라질 것 같다는 위기감이 들 때나 겨우 주저앉았던 자리에서 일어난다.

그렇게 찾아온 곳이 이번엔 대천이다. 두어 시간 겨울 바닷가를 함께 걷는 것만으로도 아득한 저편으로 사라진 그리움이 되살아난다. 그때는 나중에 나이 들어서 이렇게 함께 바닷가를 걸을 수만 있다면 얼마나 행복할까 꿈꾸었었다. 젊음은 정열이 큰 만큼 불안도 컸기에 미래를 점칠 수 없었다.

이리로 올 때는 커다란 불덩이가 바다로 풍덩 빠지는 모습을 보고 싶었다. 그렇게 화끈하게 사라지는 모습은 참 아름다울 거라고 생각했었다.

그러나 구름에 형체를 가린 해가 슬그머니 사라져 가는 모습도 남루하지 않았다. 구름 밑으로 부챗살처럼 빛을 뿌리며 내려앉는 해는 상상보다 훨씬 멋졌다.

별 걸 다 행복해하는 여자

내 남편이 정치인도 아니요 고관대작도 아니요 재벌도 아니라는
사실이 한없이 고맙게 느껴질 때가 있다. 그 고마움을 평소에는 잊고
살다가 새삼스레 다시 확인하는 계기가 있을 때, 나도 이만만 하면 괜찮은
남편을 만난 셈이라는 계산에 적잖은 행복감까지 느끼는 것이다.

살다 보면 가끔 가다 으악 소리 나게 만드는 여자들이 있다. 끼리끼
리 모인다고 내 주위에서는 좀처럼 찾아볼 수 없는 여자들인데, TV나
잡지에서는 드물지 않게 나타난다.

전문 MC라는 사람들이 자주 하는 짓인데, 나이 지긋한 부부를 불러
다 앉혀 놓고 온갖 구질구질하고 유치찬란한 이야기를 다 끄집어내게
하곤 끝마무리로 내놓는다는 질문이 멍청하기 짝이 없다(아니면 심술
궂기가 고단수라고 해야 할까).

"다음 세상에 태어나도 지금 남편과 결혼하시겠습니까."

그런데 정말 '으악'이다. 무슨 가당치 않은 헛소리냐는 식으로 웃음보를 터뜨리거나 그게 너무하다 싶으면 의미심장한 미소쯤으로 대답하리라는 내 예상은 번번이 빗나가기 일쑤이다. 눈꼽만큼도 쭈뼛거리는 기미 없이 나오는 대답은 한결같이 "그럼요."다.

야, 또 그 남자라니, 어떻게 저렇게 상상력이 빈곤할 수 있을까. 입을 비쭉거리지만 마음 한구석에서는 부러움도 솔솔 일어난다. 그렇게 일구월심 한 남자를 좋아할 수 있는 것도 능력이지 싶고, 또 남의 떡이 커 보인다고, 얼마나 괜찮은 남자이길래 다음 세상에서도 놓치고 싶지 않을까 새삼스레 옆에 있는 남편을 꼬나보게 된다.

결혼한 지 30년이 넘어가니 부부라는 게 완전히 측은지심으로 사는 거 같지, 그 언젠가 아득한 시절 사랑이란 것에 빠졌을 적 품었음 직했던 초발심은 간 데 없다. 게다가 이심전심이라고 아내라는 여자가 이럴진대 남편이라는 남자가 다르랴 싶은데, 무슨 조화인지 아님 무슨 작전인지 남편은 여전히 '내가 한 일 중 가장 잘한 일은 당신하고 결혼한 일'이라며 너스레를 떤다. 그 소리에 감동받기는커녕 저 사람이 저렇게 이익을 봤다고 생각하는 걸 보면 정말 내가 큰 손해를 보긴 봤구나 하는 생각이 더 새로워지니 내가 언제부터 장삿속으로 살았다고 사람 치사해지는 거 이렇게 잠깐일 수가 없다.

그럼에도 불구하고 앞으로 돌발사고만 안 생기면 백년해로까지 갈 게 확실시되는 이유는 순전히 그놈의 정 때문이다. 한때는 사랑 없이 사는 게 무슨 부부냐고, 그럴 바엔 미련 없이 갈라서는 게 양심적인 결혼생활이라며 열을 내기도 했었던 걸 생각하면 나이가 보약인지 마취

제인지 모르겠다.

그런데 세상은 요지경이라더니, 사랑도 미움도 다 날려 버리고 그저 그냥 그렇게 함께 사는 남편이 새삼스레 꽤 괜찮게 보일 때가 있다. 백 한 송이 장미꽃 다발에 홀려서도 아니고 거친 손을 잡아 줘서도 아니다.

좀 썰렁하게 들릴지 모르겠지만 내 남편이 정치인도 아니요 고관대작도 아니요 재벌도 아니라는 사실이 한없이 고맙게 느껴질 때가 있다. 아니, 고맙게 느껴질 때가 따로 있는 것이 아니라 항상 고맙다. 다만 그 고마움을 평소에는 잊고 살다가 새삼스레 다시 확인하는 계기가 있을 때, 그때야말로 나도 이만만 하면 괜찮은 남편을 만난 셈이라는 계산에 적잖은 행복감까지 느끼는 것이다.

요즘 들어 우리 나라에는 왜 그렇게 문이 많이 생기는지 무슨 무슨 게이트가 터질 때마다 난 내 남편이 정치면 기사라면 글자 한 자라도 놓치지 않으려고 애쓰지만 정치인이 되고 싶은 소망은 꿈에도 없다는 사실이 그렇게 고마울 수가 없다.

뭐 그렇다고 시시때때로 실시되는 각종 여론조사가 말해 주듯이 정치인이라는 직업을 무조건 폄하려는 의도는 전혀 없다. 유사 이래로 어차피 정치인이란 직업도 이 사회에 꼭 필요한 것이고 아무리 혼탁한 정치판에서도 맑은 정치를 해 보려고 분투하는 정치인들도 언제나 존재하는 법이다.

또 나는 여성 정치인들에 대해서는 일부 개인적으로 마음에 안 드는 사람이 있더라도 여성의 입장에서 전폭적인 지지를 보내는 사람이다.

나아가서 우리 나라가 잘되는 길은 여성들이 정치를 떠맡는 길밖에 없다고 믿고 있다.

나는 정치인이라는 직업에 대해서가 아니라 정치인의 아내라는 직업(?)의 고달픔을 말하려는 것이다. 한국에서 정치인의 아내로 살아간다는 것, 그건 정말 험난한 노정이다. 겉보기와는 달리 나한테도 체홉의 '귀여운 여인' 같은 구석이 아주 없는 건 아니지만, 그래서 웬만한 직업에는 다 대충 맞추어 살면서 행복도 느낄 것 같지만, 정치인 아내 노릇만은 영 자신이 없다.

우선 선거를 치르는 일을 어떻게 감당해 낼 수 있을까. 치열한 경쟁을 뚫고 공천을 따내기까지 과연 어떤 종류의 내조가 필요한가에 대해선 짐작조차 할 수 없고, 공식적으로 보고하는 숫자와는 엄청난 차이가 있다는 자금 마련은 생각만 해도 가위눌릴 것 같다. 글쎄 그런 건 모두 다 수완 좋은 남편이 해치운다 해도, 옛날처럼 숱한 운동원들 밥해 먹이는 것만으로 끝나지 않는 게 요즘의 '아무개 후보 마누라' 노릇이다.

나서지도 않고 숨지도 않기. 조금만 튀면 즉각 '암탉이 울면~' 질책이 터지고 조금만 쭈뼛거리면 '요즘이 어떤 세상인데'라는 핀잔이 따른다. 옷매무새는 또 어떤가. 세련된 차림은 사치로 몰리고 소박한 차림은 촌티로 몰린다. 표를 무기로 무리하게 요구해 오는 유권자들에게는 늘 부드럽고 겸손하게 대하되 절대로 휘둘리지 말아야 한다. 일거수일투족 조심조심 살얼음판을 걷는 듯해야 한다. 자칫하다가는 순식간에 '남편 표 깎아 먹는 여자'로 입방아에 오른다. 후보에 오른 남자들이 다 고만고만할수록 그 아내들이 성적을 좌우한다.

요행히 당선이 되어도 신천지가 전개되는 건 아니다. 당선되는 순간부터 다음 선거에 대비해야 한다. 낙선자의 아내는 여기에다 돈 걱정까지 떠맡아야 한다.

정치판은 노상 난장판이고 정치인이 단골 안주감이 된 지도 오래인데 생각할수록 신기한 건 어찌 된 셈인지 정치인의 얼굴에 괴로움의 흔적이 잘 안 보인다는 점이다. 욕을 먹으면 장수한다더니 정치인은 대개 혈색이 좋고 피부도 반짝인다(혹시 화장발인가?).

그런데 내가 만나 본 정치인의 아내들은(물론 예외가 아주 없지는 않지만) 대부분 한마디로 폭삭 삭았다. 난 그들을 볼 때마다 저 정도 자질에 저 정도 노력이면 스스로 정치인이 되지 왜 정치인의 아내로 머물러 있을까 안타까울 때가 많다(아니, 혹시 내가 모르는 그들만의 즐거움이 있는지도 모르지).

고관대작의 아내라는 직업도 만만치 않을 것 같다. 젊어서는 대기업에 한참 못 미치는 봉급으로 가계를 일구어야 하고 높은 자리에 올라서면 언제 어느 방향에서부터 화살이 날아올지 몰라 전전긍긍해야 한다. 족보에 올릴 만한 벼슬에 올랐다고 좋아하는 순간 아차 하면 교도소로 직행할 수도 있다는 사실을 명심해야 한다. 그러므로 교회 모임이나 학부모 모임에서 만난 사람들이 순수하게 호의를 보여도 일단은 경계해야 한다. 의상실 주인이 특별히 옷을 싸게 줘도 덥석 받으면 안 된다. 남편의 은행계좌에 수상쩍은 돈이 들어오지 않았나 수시로 검사해 봐야 한다.

이렇게 신경을 곤두세우고 살다 보니 뭣 하러 남편 출세시켰던가 은 근히 부아가 나기도 한다. 에라, 남편의 성공은 곧 나의 성공이니 나도 좀 누리고 살자, 방심하는 순간 패가망신으로 향하는 길이 열린다. 그리고 세상은 남편의 모든 잘못은 전적으로 그 아내에게 있다고 판결을 내린다.

재벌의 아내가 안 된 것도 하늘의 도우심이다. 재벌 남편을 두면 남편 얼굴 보기는 아예 포기해야 할 것이다. 재벌 남편들은 정치인이나 고관대작보다 더한 가부장들일 테니 아내의 심중을 헤아리는 일 같은 건 사전에 없을 게 뻔하다.

또 돈 버는 일도 힘든 일이지만 그 돈 지키는 것도 보통 힘든 일이 아닐 것 같다. 게다가 살아가는 데 꼭 필요한 양의 돈을 지키는 일이라면 혹 모르겠는데 재벌들은 지킬 돈이 지나치게 많지 않은가. 대대손손 그 돈을 지키려면 아들 낳기는 필수일 터이다. 또 자식들에게 번 돈을 합법적으로 넘겨주려면 세금이 너무 많으니 온갖 머리를 굴려서 세금을 피해야 한다.

최근 들어서는 대마불사도 옛말, 아무리 큰 재벌이라도 하루아침에 가는 수가 있으니 마음 편히 잠들 날이 없다.

재벌의 행복이 뭔지 도대체 감을 잡을 수도 없지만 아무튼 돈이 너무 많다는 건 경험해 보지 않았어도 행복보다는 불행 쪽에 가까울 것 같다. 가난할 때는 탕수육 한 그릇만 시켜 먹어도 행복하지만 조금 살 만하다 싶으면 탕수육은 그저 탕수육일 뿐이다(저 포도는 틀림없이 실 거야).

이렇게 정치인도 고관대작도 재벌도 아니라서 고마운 남편이지만
그렇다고 다음 세상에서 또 만나고 싶으냐는 질문은 사절.

참 미련들 하네

여성들은 이렇게 바뀌는데 같은 공간에 사는 남성들의 변화속도는
터무니없이 느리다. 특히 나이 든 남자들은 여태까지 살아온 방식을 버리는 데
심한 저항감을 느낀다. 그들은 그걸 소신이라고 주장하는지 모르지만
미안하게도 그건 소신이 아니라 무능이다.

오래전에 죽은 대문호의 유물도 아니고 불과 몇 년 전에 보낸 은밀
한 연애편지가 어떻게 만천하에 공개될 수 있는지 세상은 참 요지경이
다. 한쪽에서는 무기도입에 얽힌 비리를 한낱 남녀간의 스캔들로 몰아
가는 데 대한 경계성 지적도 나오고 또 뜬금없이 고속철 로비 사건이
등장해 무기 로비 사건은 어물쩍 주저앉았지만 한동안 세상 사람들은
출세한 한 남자의 무분별한 사랑놀이를 한껏 즐기면서 입방아를 찧었
다. 나이도 들 만큼 들었고 출세도 할 만큼 한 남자가 어떻게 그토록
노련한 로비스트에게 홀딱 넘어가 그토록 유치찬란한 연애편지를 쓸

수 있었는지 어이가 없다고 난리들이었다.

도대체 요즘에는 아무리 신문기사를 뜯어봐도(아니, 오히려 자세히 뜯어보면 뜯어볼수록) 뭐가 사실이고 뭐가 진실인지 판단 불가능한 세상이지만 그래도 이번 연애편지 사건에서 하나 확실한 것은 점잖게만 보이는 고관대작이 한때(?) 열렬하게 한 여자에게 빠졌다는 사실이다. 편지에 녹아 있는 그 열정과 배려를 보라. 솔직히 난 어느 날 아침 신문에서, 전혀 예상치 못한 지면에서 예상치 못한 사람에 의해 쓰여진, 그 연애편지의 전범 같은 편지를 읽고 나도 모르게 그만 야~ 하고 감탄사를 내질렀다. 요즘에도 이렇게 순수한 남자가 있다니 그동안 내가 너무 이 세상을 나쁘게만 봐 온 건 아닌가 켕기기까지 했다.

다만 그 후 전개되었던 사건의 추이를 지켜보면서 내가 영 민망하게 생각했던 점은 그 두 사람이 부적절한 관계를 맺었는지 안 맺었는지와는 상관없이 상대방 여성은 시종일관 그를 연인으로서가 아니라 로비 대상으로 보았다는 사실이다(글쎄, 사실인지 아닌지 또 누가 장담할 수 있을까, 매스컴에 보도된 내용으로는 그렇다).

그래서 어떤 이들은 "역시 여자는 요물이야."라는 식으로 이 기회에 여자들을 싸잡아 욕하고 싶어하지만 이번 경우는 아무리 너그럽게 봐 주려 해도 남자의 어리석음이 너무 두드러지게 표나기 때문에 기분 내키는 대로 욕을 못하고 그저 혼자 쓴 침만 삼키고 있는 것 같다.

과연 린다 김이라는 로비스트가 자신이 여자라는 조건을(특히 매력적인 여자라는 조건을) 얼마만큼 사업에 이용하려고 계획했고 실행해왔는지는 내가 알 수도 없고 또 알 바도 아니지만 그가 인터뷰에서 주장한 말 가운데, 한국의 고위관리들이 자신을 사업가가 아니라 여자로만 보려고 해서 곤란했다는 말은 일견 수긍이 가는 대목이다.

그런데 그건 린다 김이라는 여자가 특별히 매력이 있기 때문만도 아니고 그렇다고 한국의 고위관리들에게 유별나게 여자를 밝히는 증세가 있기 때문도 아니라는 게 내 생각이다. 그 나이에 있는 한국의 남자들, 그중에서도 출세했다는 남자들은 극히 일부를 제외하고는 도대체 대등한 위치에서 여자를 대한다는 것, 사업 파트너로서 여자를 인정한다는 것에 대해서 대단히 서툴 수밖에 없는 사람들이다. 아니, 서툰 정도가 아니라 아예 불가능한 사람들이라고 단언해도 틀리지 않는다.

이 땅에서 50년 이상을 살아온 남자들이 평생을 여자들과 어떤 관계를 맺으면서 살아왔나 되돌아보면 그들의 오늘은 당연한 귀결이다. 그들의 일생에서 과연 여자들이란 어떤 존재였던가. 그들에게 존경의 대상까지 오를 수 있는 유일한 여성, 어머니는 오직 그들을 위해 기꺼이 일생을 바친 여자이다. 먹을 것 입을 것의 일순위는 당연히 그들이었고 때에 따라서는 아들을 위해 딸을 희생시키는 걸 당연시했다. 어머니는 그들을 키운 것이 아니라 그들을 떠받들었다.

아내라는 여자는 또 어떤가. 남편의 출세에 혹 걸림돌이 될까 그림자처럼 그들의 눈치를 보며 그들을 떠받들어 왔다. 그러면서도 남편 덕분으로 신분상승의 대열에 무임승차한 존재라는 본분을 잊지 않고 늘 아랫사람으로서의 자세를 지켜 온 여자들이다.

세상이 변하면서 그들이 사회에서 부딪치는 여자들의 수가 날이 갈수록 늘어나고 있긴 하지만 그들과 대등한 지위에 오른 여자들은 거의 없었다. 직장에서는 대개 그들보다 아랫사람으로 그들을 보필하는 위치에 있었고 그 밖에 만나는 여자들은 대부분 서비스 업종에 종사하는 여성들이었다.

그들이 중고등학교 다니던 때는 남녀공학이 전국에 몇 개 있었을 뿐이고 대학에서도 여자들은 극소수였다. 어쩌다 교정에서 마주친 여학생이 인사치레로 미소만 띠어도 그 여학생이 자기를 좋아한다고 동네방네 소문을 내던 시절이었다. 같은 학과를 다녀도 여학생은 아무리 봐도 학생이 아니라 여성으로 보이기만 했다. 뿌리 깊은 남녀분리 문화 그리고 남성우월주의의 세례 속에서 남자들은 여자들과 더불어 사는 능력을 원천봉쇄당해 온 것이다.

그런데 여자들과 대등한 관계를 맺지 않고도 잘만 살아온 그들에게 어느새 세상이 바뀌어 싫든 좋든 여자들을 업무 상대로 만나야 하는 일이 생기기 시작했으니 온갖 종류의 문제가 발생하는 건 어찌 보면 당연한 귀결이다.

단순히 연애편지만 놓고 보면 이번 사건은 이 사회에 만연된 성희롱 문제에 비할 때 그래도 낭만적인 요소가 있어 한결 보기가 낫다.

우리 사회에서도 드디어 직장 내 성희롱에 대한 법적인 규제가 제도화되자 대부분의 남성들이 당황해하는 기색을 보였다. 그중에서도 중년 이상의 남성들은 많은 경우 노골적으로 불편한 심기를 숨기지 못했다. 여자들이 너무 세져서 별것 아닌 일을 갖고 호들갑을 떨더니 드디어는 정부까지 따라서 춤을 추는 꼴이 영 목불인견이라고 불만이 대단하다. 사실 서울대 교수 성희롱 사건이 등장했던 90년대 초만 해도 그들은 선진국의 토픽 정도로 간주했던 성희롱 문제가 법제화되기에 이를 줄은 상상조차 못했을 거다.

처음 그 사건이 세상에 알려졌을 때 많은 남성들(그리고 많은 여성들)의 반응은 '교수가 그럴 수가……'가 아니라 '그런 일로 교수를……'이었다. 그런 일쯤은 남녀가 함께 있다 보면 다반사로 일어날 수 있는 일인데 어린 여자가 무슨 앙심을 품고 유능한 남자의 앞길에 재를 뿌리느냐는 시각이 지배적이었다.

하지만 그 사건 이후 성희롱은 자연스런 관행이 아니라 인권침해라는 인식이 널리 퍼지기 시작했고 무엇보다 그러한 과정을 통과하면서 수동적이기만 했던 여성들의 의식이 놀라울 정도로 빠르게 바뀌어 나갔다.

사실 불과 얼마 전까지만 해도 여성들은 성희롱을 포함한 성범죄에 대해서 무대책 상태였다. 피해자이면서도 스스로가 원인을 제공한 것 같은 죄의식, 그리고 사건이 표면화할 경우 앞으로의 인생에 치명타가 될 수도 있다는 공포심 때문에 굳게 입을 다물었다. 성폭력을 당해도 가해자가 오히려 그 사실을 협박의 빌미로 삼는 이상한 나라(예전에는 소문을 퍼뜨리겠다고 협박했는데 요즘은 비디오를 찍는다)에서 살다 보면 성희롱이나 성추행 따위는 남자들이 말하듯이 그냥 가벼운 장난쯤으로 여기고 잊어 버리는 게 신상에 편했다. 더구나 평소에 '아버지나 큰오빠처럼' 따르고 존경하던 높은 자리의 남성들을 고발한다는 건 자기 무덤을 파는 짓으로 생각됐다.

아무도 손댈 수 없는 장군까지 성희롱 문제로 옷을 벗고 저명한 시민운동가마저 성추행 문제로 구속되는 사건이 줄을 잇자 한쪽에서는 한국의 지도층 남성들의 성의식이 왜 이렇게 갑자기 타락했느냐고 개탄하는 목소리도 들리지만 사실 이런 일들은 오래전부터 비일비재했었다.

30여 년 전 나의 직장생활을 돌이켜 보더라도 지금 같으면 당장 성희롱으로 걸 만한 일들이 다반사였다. 한국의 대학자로 명성이 드높던 어떤 한문학 교수는 원고를 받으러 갔던 내게 은밀한 목소리로 "신랑이 얼마나 꽉 눌러 주더냐."며 음침한 눈길을 보냈다. 난 너무 놀라고 화가 났지만 고매한 교수님에게 대들 수가 없어서 고작 무슨 소린지 못 알아들었다는 듯이 천진스런 표정을 만들어 내느라고 가슴이 얼마나 쿵쾅거렸는지 모른다. 당시엔 소위 명사들을 만날 일들이 잦았는데 그들의 이름 뒤에 숨어 있는 더러운 언행 때문에 마음을 상한 적이 한두 번이 아니었다. 그렇지만 그때는 그런 일들을 여성이 사회생활을 하면서 치를 수밖에 없는 값비싼 수업료로 치부하면서 나 혼자 모멸감을 다독거려야 했다.

요즘 들어 새삼스럽게 성범죄가 극성을 부리는 게 아니다. 성범죄에 대한 여성들의 생각과 태도가 바뀐 것이다. 여성들은 자신도 마땅히 존중받아야 하는 당당한 인격체라는, 너무나 당연한 생각을 이제 비로소 갖기 시작한 것이다.

여성들은 이렇게 바뀌는데 같은 공간에 사는 남성들의 변화속도는 터무니없이 느리다. 특히 나이 든 남자들은 여태껏 살아온 방식을 버리는 데 심한 저항감을 느낀다. 그들은 그걸 소신이라고 주장하는지 모르지만 미안하게도 그건 소신이 아니라 무능이다.

여성들을 자신과 대등한 존재로 보지 못하는 무능력한 남자들, 그 미련한 남자들의 앞날에는 이미 추락 신호가 예약되어 있다.

4장 | 아직도 어머니를 모른다

2001. 8. 28
윤석남

"내가 와 이리 오래 사노?"

시어머니가 그런 말을 할 때마다 적당히 대꾸할 말이 없어
항상 민망하다. 오래 사셔야 된다고 하자니 내가 듣기에도 속 보이고,
가만히 듣고 있자니 어머니 너무 오래 사셨어요
하는 것과 다름없다 싶어 내가 너무 못된 며느리 같다.

나의 시어머니는 1910년생이다. 일흔아홉 살 때 풍을 맞아 몸 왼쪽
을 못 쓰게 되었다. 그래도 처음 몇 년 동안은 지팡이를 짚고 노인정에
도 갔는데 한해 한해 지날수록 점점 힘이 빠져서 지금은 전혀 외출을
못한다. 그나마 화장실 출입을 혼자 할 수 있다는 것만으로도 당신이
나 식구들이 다행으로 여기고 있다.

내가 결혼하기 직전 한동안 시어머니는 좌골신경통으로 꼼짝 못하
고 드러누운 적이 있다. 집안에 어른이라곤 한창 젊었던 부모님 딱 두
분밖에 못 보고 자랐던 나는 그 당시 환갑이었던 시어머니가 굉장히

늙은 분으로 보였기 때문에 아, 나이 들면 저렇게 편찮으시다가 돌아가시는 건가 보다고 지레짐작했었다. 하지만 얼마 지나지 않아 시어머니는 기운이 다시 쌩쌩해졌다.

그 후 내가 셋째를 낳던 해인가, 또 한차례 좌골신경통이 도지는 바람에 몇 달간 누워 있었던 것 빼고는 시어머니는 10여 년을 활기차게 살았다. 아들네 집 딸네 집을 번갈아 다니며 대소사를 챙기고 원불교당에도 열심히 다녔다. 워낙 피부가 고운데다가 관리도 열심히 한 덕에 시어머니는 누구에게나 연세에 비해 젊다는 말을 들었다. 나보다 꼭 36년이 위로 나와 같은 개띠였던 시어머니를 보면서 나는 36년 후의 내 모습을 그려 보곤 했다. 물론 시어머니만큼 기운 있기를 바란다는 게 언감생심인 줄 잘 알면서.

시어머니는 전형적인 안방마님 풍인데다가 목소리도 짜랑짜랑한 분이었기 때문에 실제보다 훨씬 엄해 보였다. 부모님이나 선생님한테 별로 꾸중을 들어 본 경험이 없었던 나는 결혼 이후 10년 넘게 시어머니한테 늘 야단을 맞는 기분이었다. 시집살이는 시어머니가 시키는 게 아니라 며느리가 하는 것이라는 말은 내 경우에 꼭 들어맞는다. 시어머니와 며느리의 코드가 안 맞을 때 시집살이가 시작될 수밖에 없는 거니까. 시어머니를 한 여성으로 이해하고 편하게 대하게 된 건 내가 다시 사회생활을 시작하면서부터였다.

노후에 자식들에게 신세를 끼쳐서는 안 된다는 신조대로 시어머니는 평소 자신의 몸과 정신 관리에 남달리 부지런하였다. 주변은 늘 깔끔하게 정리되어 있었고 아침 저녁 묵상과 기도로 마음공부를 게을리

하지 않았다. 이렇게 스스로를 챙기다가 어느 날 잠자는 중에 자는 듯이 죽는 게 소원이라고 입버릇처럼 말했다. 간절히 기도하면 그대로 이루어지리라고 굳게 믿었다.

당신의 기도가 어긋나자 시어머니는 크게 낙망했다. 내가 무슨 잘못을 지었길래 이런 일을 당해야 하느냐, 내 팔자가 왜 이렇게 되었느냐며 탄식했다. 하지만 몇 년 간의 치열한 회복노력이 허사로 돌아가자 시어머니는 서서히 이만만 해도 다행이라는 쪽으로 마음을 가라앉혔다. 불편한 몸이지만 최대한 깔끔한 차림으로 자손들을 맞는 시어머니의 얼굴은 이제 달관한 듯 늘 온화한 표정이다.

그렇게 어느새 아흔을 넘기셨다. 며칠 전 시어머니의 생신을 맞아 오랜만에 큰집에 갔다. 차로 30분 남짓이면 갈 수 있는데도 나이가 들수록 큰집을 찾아가는 간격이 길어진다. 나이가 들면 주위에 대한 배려도 점점 늘어날 줄 알았는데 오히려 거꾸로이다. 한 10년 전에 비하면 바쁜 것도 훨씬 줄어들었고 생활도 많이 간소화되었는데도 어찌 된 셈인지 나 하나 추스리는 데도 자꾸만 숨이 가빠져 간다.

시어머니의 삶 중에서 가장 큰 기쁨이 자식과 손자들을 만나는 것이라는 걸 뻔히 알면서도 요즘은 특별히 이름 붙은 날이 아니면 좀체 찾아뵙게 되지 않는다. 사실 시어머니뿐만 아니라 친정 어머니 역시 생각만 하면 늘 이렇게 불효하면 안 되는데 하는 죄의식이 함께 일어난다. 젊었을 때는 그렇게 죄의식을 느끼느니 차라리 행동으로 옮기는 편이 낫겠다며 한밤중이라도 벌떡 일어나서 집을 나섰는데 지금은 그런 충동이 나도 이내 주저앉고 만다. 아이들이 어렸을 때는 본을 보인다는 심리도 작용했었지만 아이들이 커가면서 그게 얼마나 야무진 꿈인가를 새록새록 깨달아 가는 탓도 있는 것 같다.

그날도 시어머니의 첫말씀은 여느 때와 똑같았다.

"야야, 내가 와 이리 오래 사노?"

"……."

사람들은 말한다. 장사꾼의 밑지고 판다는 말, 그리고 처녀의 시집 안 가겠다는 말과 더불어 노인의 "내가 어서 죽어야 할 텐데."라는 말이야말로 이 세상의 3대 거짓말이라고. 하지만 장사를 하다 보면 밑지고 팔아야 할 때도 있고 요즘엔 결혼하지 않고 사는 여성들도 대폭 늘어나고 있다. 그러니 노인의 빨리 죽고 싶다는 말도 거짓말이 아니다, 라고 뭐 객관적으로 증명하겠다는 게 아니라 적어도 시어머니의 그 말씀에는 티끌만한 거짓도 섞여 있지 않다고 본다.

언제부터인가 시어머니는 나만 보면 눈가를 적시면서 그렇게 말했다. 당신이 좀체 죽을 것 같지 않다고. 처음에는 그냥 팔자 타령처럼 여겨졌지만 날이 갈수록 큰아들 부부, 특히 큰며느리에 대한 미안함이 절절하게 배어 있다는 걸 느낄 수 있었다.

어느새 큰아들이 칠순을 넘겼고 큰며느리도 육십을 훌쩍 넘겼다. 이미 노인 줄에 들어선 큰아들 내외가 당신 때문에 늘 신경을 쓰고, 이젠 자유롭게 돌아다닐 수 있는 조건이 되었는데도 집에 꼭 매여 사는 게 시어머니는 너무 안됐다고 했다. 당신은 더 살아 봤자 자식들한테 폐만 끼치는 존재인데 아무리 봐도 죽을 때는 안 된 것 같으니 이 노릇을 어찌하면 좋을까, 시어머니는 매일 걱정이시다.

요즘 시어머니가 가장 부러워하는 분은 20년 전쯤 먼저 간 당신의 큰 동생이다. 그분은 칠순이라는 나이가 믿기지 않을 정도로 피부가 고운 멋쟁이였는데 어느 날 친구분들과 함께 수안보 온천에 놀러 갔다가 목욕탕에서 쓰러졌다. 갑자기 손아래 형제를 잃은 시어머니는 당시만 해도 '나이가 아깝다.'며 아주 애통해했지만 지금 돌아보면 그 동생처럼 복 많은 사람도 보기 드물다고 부러워한다.

당신도 예순 넘어서였던가, 장에 탈이 나서 몇 달 동안 병원에 다닌 적이 있었는데 그때 그냥 가야 했었노라고, 왜 그때 그렇게 열심히 약을 챙겨 먹었을까, 엉뚱한 후회를 하기도 한다. 요즘 노인네들 너무 오래 살아서 큰일이라는 말씀도 입에 붙었다.

시어머니가 그런 말을 할 때마다 적당히 대꾸할 말이 없어 항상 민망하기 그지없다. 아니라고, 무슨 말씀을 그렇게 하시느냐고, 오래오래 사셔야 된다고 하자니 내가 듣기에도 너무 속 보이는 짓 같고, 가만히 듣고 있자니 네, 그렇습니다, 어머니 너무 오래 사셨어요 하는 것과 다름없다 싶어 너무 못된 며느리 같고……. 그러니 찾아뵙지 못했을 때는 잘 대해 드려야지 마음먹었다가도 정작 맞닥뜨리면 일 초라도 빨리 시어머니 앞을 벗어나고 싶어 조바심이 난다.

하루가 너무 길다며 시간의 지겨움을 호소하는 시어머니의 외로움을 조금이라도 덜어 드리려면 어쩌다 뵐 때만이라도 말동무(라기보다 그냥 들어 주는 대상)가 되어 드리는 게 최상의 효라는 걸 알면서도 점점 그게 힘들어진다. 간혹 아이들 중 한 명이라도 데리고 간 날이면 그 애를 인질로 잡히고 난 날쌔게 빠져나온다. 나중에 그 애가 내 앞에서 자기 자식을 인질로 잡히고 빠져나가도 할 수 없다는 체념과 함께.

주위를 보면 인간 백세 시대가 이미 도래해 있다. 아흔이 넘은 부모님을 모시고 사는 이웃들이 드물지 않다. 그리고 그 가운데 열 분 중 아홉 분은 몸이 불편하다. 불편 정도가 아니라 혼자서는 아무것도 할 수 없는 경우가 대부분이다. 이 세상은 몸이 건강한 노인도 축복받는 삶을 영위하기 어려운 젊음 중심의 사회이다. 늙기도 서러운데 병까지 든 노인들이 죽을 때까지 자신을 가치 있는 존재로 여길 수 있으려면 자식들의 효도 중요하겠지만 그것만 갖고는 한참 부족한 것 같다.

내가 왜 이렇게 오래 살고 있느냐고 탄식하는 시어머니의 모습에 36년 후의 나를 겹쳐 보면서 오늘도 나는 죄스럽고 우울하다.

아직도 어머니를 모른다

어머니가 갑자기 늙은 병자로 변하자 조급증이 났다.
어머니에 대해 아무것도 모른 채 떠나보내서는 안 된다는
생각이 들었기 때문이다. 시어머니의 인생보다 친정 어머니의
인생에 대해서 더 모른다는 것도 부끄러운 일이었다.

막내가 초등학교 4학년 때쯤부터 우리 아이들은 나를 깍듯하게 '어
머니'라고 불러 왔다. 그런데 정작 나는 이 나이가 되도록 나의 어머니
를 '엄마'라고 부른다. 흔히들 말하기론 어머니에서는 거리감이, 엄마
에서는 친밀감이 느껴진다고 하지만 반드시 그런 것도 아니다. 글쎄
혹시 우리 아이들은 내게 거리감을 느껴서 어머니라고 부르는지도 모
르지만 한 가지 확실한 것은 내가 '엄마'라고 부른다고 해서 그게 TV
드라마에 나오는 모녀관계처럼 밀착된 관계를 의미하는 건 아니라는
사실이다.

오히려 나는 일생 동안 너무하다 싶을 정도로 어머니하고는 덤덤하게 지내 왔다. 다른 친구들이 어머니하고 친구처럼 지내면서 싸웠다 풀어졌다 하는 모습을 볼 때면 우리 모녀는 왜 이러지? 혹시 의붓딸 의붓엄마가 아닌가 의심이 들기도 하지만 나만 그런 게 아니라 우리 네 자매가 다 그런 걸 보면 우리 어머니의 성격에 그 원인이 있는 게 틀림없다.

올해 일흔아홉 살인 어머니는 4년 전 아버지를 떠나보낸 직후부터 급속히 쇠약해지더니 지금은 눈도 안 보이고 거동도 못한다. 어머니를 보면 인간은 서서히 늙어 가는 게 아니라 어느 시점에서 갑자기 늙어 버리는 게 아닌가 싶다.

항상 활기에 넘쳤던 어머니가 하루아침에 늙은 병자로 변해 버리자 나는 갑자기 조급증이 났다. 어머니에 대해서 아는 게 아무것도 없이 엄마를 떠나보낸다면 말이 안 되는 노릇이라는 생각이 들었기 때문이다. 시어머니의 인생보다 친정 어머니의 인생에 대해서 더 모른다는 것도 부끄러워해야 할 일이었다.

엄마는 함경북도 길주에서 태어났다. 스물두 살 때 아버지와 혼인을 해서 경주로 내려왔다. 아버지는 길주와 가까운 명천 출신이었는데 어렸을 때 혼자 남쪽으로 내려와 직장생활을 했다. 어머니는 결혼 이후 한 번도 고향에 가 본 적 없이 6남매를 낳고 줄곧 남쪽에서 살았다.

자라면서 우리는 어머니로부터 고향 이야기를 들어 본 기억이 별로 없다. 아니 거의 없다. 명절 같은 때 실향민들이 고향 하늘을 바라보며 눈시울을 적신다는 이야기는 매스컴에서나 보고 듣는 기사일 뿐 우리 어머니에겐 전혀 해당되지 않는다. 자신의 일생을 책으로 엮으면 소설책 열두 권도 모자랄 거라는 게 이 땅에서 살아온 어머니 세대 여성들의 한결같은 넋두리임을 감안할 때 나의 어머니는 정말 특이한 여성이다. 몇 년 전 연변에서 만난 여성들은 생전 처음 만난 나에게 대여섯 시간씩 쉬지 않고 자신의 인생을 풀어놓고서도 헤어질 땐 아쉬워서 나를 놓아주지 않으려 했다.

나 역시 현대사의 물결을 타고 파란만장한 삶을 살아온 윗세대 여성들과 비교할 때 명함도 못 내놓을 정도로 굴곡 없이 살았건만 결혼생활 30년을 풀어놓으려면 소설 책 세 권 분량만큼은 빽빽이 채울 자신이 있다. 오죽하면 이렇다 할 비결도 없으면서 아이들 키우는 이야기만으로 책 한 권을 후딱 써 냈을까. 뻔뻔한 탓도 있지만 이 세상에서 여자로 살아간다는 것 자체가 기본적으로 몸속에 말이 많이 쌓이게 하기 때문이다. 조금씩 조금씩 한 30년 쌓여 나가다 보면 어느 시점에서 저절로 터져 나오게 마련 아닐까.

그런데 어머니는 왜 그렇게 자신의 이야기를 하지 않았을까.

아마도 항상 빠듯한 생활비 때문에 마음을 졸이며 살았다는 점 빼놓고는 어머니의 삶이 비교적 순탄했다고 생각하기 때문인가 보다. 아니면 누구라도 척 보면 알 수 있을 만큼 타고난 낙천성 덕일지도 모른다. 아니, 어쩌면 어머니의 말주변 때문이었을 거다. 어머니는 도대체 말솜씨가 없는 분이다. 더 정확하게 표현하면 말솜씨가 없는 게 아니라 워낙 말이 없는 사람이다.

어머니는 자기 자신이나 고향에 대해서만 이야기를 풀어놓지 않은 것뿐만 아니라 여섯 명이나 되는 자식들을 키우면서도 말을 많이 하지 않았다. 우리 6남매가 또래 아이들이 지긋지긋하게 여기는 '엄마의 잔소리'를 기억하지 못하는 건 우리가 유달리 착한 아이들이었기 때문이 아니라 어머니가 워낙 잔소리라는 걸 안 했기 때문이다.

그렇다고 어머니가 혼자 있기를 좋아하는 조용한 성품이었던 것은 아니다. 어머니는 동네친구들과의 모임을 아주 좋아했고 술도 잘 마시는 분이었다. 우리 집에 동네 친구분들이 모일 때면 어머니의 맑고 높은 웃음소리가 끊일 새 없이 울려 퍼졌다.

이제 와 생각하니 어머니가 말주변이 없는 건 타고난 성품 때문이기도 하지만 또 한 가지 아버지 때문이기도 했을 것 같다. 그 세대로서는 매우 금슬이 좋은 부부였고 또 격식이 없는 관계였긴 했지만 아버지도 역시 속일 수 없는 가부장이었다. 가족들이 모인 자리에서 아버지는 항상 자신이 화제를 주도했고 다른 가족들이 말할 기회를 원천봉쇄했다. 아버지는 자식들의 안부를 묻는 적도 없으셨다. 어쩌다 자식들이 자신의 이야기를 털어놓으려는 짬이 보이기만 해도 금방 화제를 돌려 버렸다. 문젯거리를 건드리는 건 딱 질색이셨다. 아버지는 오로지 당신의 관심사만 이야기했다. 아버지가 누군가를 가장 나쁘게 평하는 말은 "그 사람은 말이 많아."라는 것이었다. 더구나 말 많은 여자는 질색이었다. 일생을 그런 남편에게 길들여졌기에 어머니는 아예 자신의 심중을 표현할 욕구와 기술을 잃었던 건지도 모른다.

마음이 조급해진 나는 혈액투석을 받고 돌아와 맥없이 누워 있는 어머니에게 질문을 쏟아 냈다. 마치 새내기 기자가 처음으로 인터뷰에 나섰을 때처럼.

"엄마, 엄마의 아버지는 무얼 하셨어요?"

"엄마, 엄마는 형제가 몇이에요?"

"엄마, 그 정도로 살았다면서 왜 학교를 안 다녔어요?"

어머니의 대답은 역시 단답형이었다. 하지만 언니 한 분밖에 없는 줄 알았던 어머니에게 오빠와 남동생이 각각 한 명씩 있었다는 이야기, 양조장을 하셨던 할아버지는 부를 꽤 이루었지만 너무 엄해서 학교는 다닐 생각을 못했고 외출할 때는 꼭 장옷을 입었다는 이야기를 겨우 끌어낼 수 있었다. 좀체로 자기 생각을 표현하지 않고 살아온 어머니에게 옛 기억을 되살리는 일은 아주 어려운 작업이었다. 표현하지 않는 게 오랜 습성이 되다 보니 기억조차 사라져 버리는 모양이다.

어제는 오래전 미국 이민을 떠났던 어머니의 친척이 어머니를 찾아왔다. 그분은 어머니보다 한 살이 위였는데 서른세 살인가에 남편을 잃고 홀몸으로 다섯 자녀를 키워 냈다. 세파에 시달리느라 억척스러워지고 수다스러워진 그분은 우리 어머니의 집안에 대해서 어머니보다 훨씬 많은 이야기를 들려주었다.

어머니네 집안 — 나의 외갓집 — 이 그 동네에서 얼마나 떠르르했는지, 외삼촌들이 얼마나 머리가 좋은 분들이었는지. 실향민 가운데 고향에 금송아지 두고 내려오지 않은 사람 하나도 없다고들 하지만 나의 어머니가 단 한 번도 자랑하지 않은 이야기들을 그분은 마치 자기 집안 이야기인 양 신이 나서 늘어놓았다(하긴 어머니의 집안은 그분에게는 시집이었다). 심지어 어머니의 결혼에 관한 이야기도 처음 듣는 내용이었다. 너무나 가난한 집안의 총각이었지만 그 훤한 인물에 반해 할아버지가 선뜻 손녀를 주기로 했다는.

반세기도 전의 일을 바로 어제 일처럼 생생하게 전하는 그분의 말에 어머니는 미소를 띤 채 고개를 끄덕이고만 있었다. 고작 "응, 머리 좋았지." "응, 참 잘살았지." 정도의 말을 덧붙였을 뿐.

"엄마, 외삼촌들 보고 싶지 않아요?"

약간은 심술 섞인 심정으로 묻는 내 속을 아는지 모르는지 어머니의 답은 여전히 간단했다.

"벌써 죽었을 거야."

어머니에 대해서 모르는 게 어찌 어머니의 고향 이야기뿐일까. 솔직히 말하면 나는 어머니가 큰딸인 나 자신에 대해서 어떻게 생각하는지도 잘 모른다. 마음에 들어하는지 아닌지조차.

도대체 딸은 어머니에 대해서 얼마나 아는 걸까.

고향 만들기

이 뒤죽박죽인 거대도시가 고향이라니 생각만으로도 징그럽다.
아니, 더 솔직하게 말하면 서울은 천성이 촌 계집애인 나의 고향이
되기엔 너무 화려한 곳이다. 40년 동안 튕겨 나가지
않고 붙어 산 것만 해도 기적이다.

설이나 추석이 오면 매스컴에선 해마다 올 귀성객 수가 이천만이니 삼천만이니 하며 자못 흥분하곤 한다. 내 가까운 이웃 중에는 고향에 다녀왔다는 사람들을 눈을 씻고 찾아봐도 잘 안 보이는데 매스컴이 예측하는 귀성객 수는 해마다 늘어가는 게 나로서는 참으로 불가사의한 일이다. 숫자라면 어떤 종류의 숫자라도 일단은 부풀려야 직성이 풀리는 게 매스컴의 속성이라고 한껏 무시하려 들면서도 명절이 다가올 때마다 마음 한구석은 뭔가 편편치 않다. 온 국민이 명절을 즐기느라 들떠 있는데 나만 고향 잃은 떠돌이 신세가 된 듯한 소외감 때문이다.

내가 이럴진대 젊어서 떠난 고향에 다시는 돌아가지 못한 우리 부모는 어땠으랴 싶으면서도 그래도 부모님은 그리워할 고향이라도 있으니 나보다는 한결 행복한 분들이 아니냐는 생각이 들어 부럽다. 난 가끔 내 마음속에서 변덕이 죽 끓듯 할 때, 그래서 내 마음 나도 어떻게 할 수 없을 때, 이건 내게 고향이 없기 때문에 나타나는 필연적인 증상이라고 자가 진단을 내린다.

요즘은 별로 그런 인사들을 잘 하지 않지만 한때는 초면의 사람들끼리 나누는 인사말 가운데 가장 흔한 질문이 '고향이 어디냐.'는 거였다. 뭐 꼭 알고 싶어서가 아니라 무해무익한 대화를 이끌어 가는 데 좋은 실마리가 되기 때문이었다.

평소 너무 똑 부러지게 말해서 상대방을 질리게 만드는 데 이골이 나 있는 나이지만 이 질문에 대해서만은 늘 버벅거리곤 한다. 이 나이 먹도록 내 고향이 어디인가에 대해서 명료하게 정리를 못했기 때문이다. 사실 그냥 아무 곳이나 한 군데를 대도 상대방에게는 별 차이가 없을 텐데도 그러면 상대방에게 큰 거짓말을 하는 것 같은 기분이다. 그러니 고향 이야기만 나오면 일일연속극처럼 질질 늘어지고 만다.

"태어나기는 수원에서 태어났는데요……."

첫 대답은 이렇게 나온다.

그렇지만 상대가,

"아, 그럼 경기도 분이시군요."

라고 말하면, 이내 손사래까지 치며

"네, 그런데 저의 부모님은 함경도 출신이세요. 아버진 명천이시고 어머닌 길주……."

하고 덧붙여야 속이 편하다. 그러면 상대는 즉각적으로,

"아, 함경도 또순이군요. 어쩐지……."

하며 고개를 끄덕인다. 만난 지 10분 정도 만에 나의 또순이다움을 간파한 혜안이라니. 하지만 유감스럽게도 나는 내가 함경도 사람이라고 생각한 적이 단 한 번도 없다. 함경도에 가 본 적도 없지만 부모님으로부터 고향에 대한 이야기를 들은 기억이 별로 없기 때문이다. 몇년 전 1년 동안 중국 연변에서 살 기회가 있었다. 거기서는 사방 곳곳에서 어렸을 때부터 익숙하게 들어 온 함경도 말씨가 들려왔다. 나는 순간적으로 고향에 돌아온 기분이었다. 하지만 명천 출신의 동포들이 나를 고향사람처럼 반겼어도 나는 선뜻 마주 반길 수 없었다. 머리 속에서 그림을 그릴 수 없는 고향은 고향이 아니었다.

나는 얼른 덧붙인다.

"하지만 제가 자란 곳은 성환인데요."

"아, 그래서 말끝이 늘어지는군요. 충청도 분이시라……."

난 충청도 사람인가. 나도 모르는 새 말끝이 늘어진다고 꽤 오랫동안 흠을 잡혔던 건 사실이지만 충청도에서 살았던 기간(고작해야 6년 정도)을 생각하면 난 결코 충청도 사람이라고 할 수 없을 것 같다. 그러니 냉큼 토를 단다.

"그런데 국민학교 5학년 때 서울로 왔거든요."

"그럼 서울 사람이라고 해도 되겠군요."

나는 서울 사람인가. 현재 서류상의 본적지도 서울로 되어 있고, 어

언 40년 이상을 서울에서 살았으니 나는 서울 사람이라고 해도 괜찮을지 모른다. 친정도 시집도 다 서울에 있어 해마다 명절에 기 쓰고 내려갈 필요도 없으니 난 어쩌면 서울 사람이 아닐까. 하지만 서울 인구가 채 1백만 명도 안 되던 그 시절 서울로 입성할 때 '서울내기 다마내기'들로부터 '시골뜨기'라고 놀림당했던 기억이 어제 일처럼 생생한 걸 보면 난 아직 서울 사람이 아닌 것 같다.

또 이 뒤죽박죽인 거대도시가 고향이라니 생각만으로도 징그럽다. 아니, 더 솔직하게 말하면 서울은 천성이 촌 계집애인 나의 고향이 되기엔 너무 화려한 곳이다. 40년을 넘게 살았으면서도 도저히 촌티에서 탈출하지 못하는 주제를 생각하면 그동안 튕겨 나가지 않고 붙어 산 것만 해도 기적이다.

그렇다면 내 고향은 도리없이 촌일 텐데 도대체 어느 '촌'이 내 고향인가. 아무리 둘러봐도 내겐 딱 고향이라고 지칭할 만한 촌이 없다. 어렸을 때는 고향이 없다는 데 대해 아무런 느낌이 없었는데 어느 즈음부터인가 내게도 그리워할 고향이 있었다면 좀 더 나은 성격의 좀 더 심지가 깊은 인간이 되지 않았을까 하는 아쉬움이 들기 시작했다. 그래서 정말 웃기는 얘기지만, 왜 우리 부모는 고향에서 그냥 살지, 그 많은 가족을 버리고 달랑 두 분만 남쪽으로 내려와 살았을까 은근히 원망스럽기도 했다.

만약 부모님이 고향을 지키고 사셨다면 나한테도 좋은 일이지만 우리 아이들한테는 얼마나 좋았을까 하는 이기심 때문이었다. 올망졸망한 아이들을 데리고 때마다 고향에 내려가면 교육적으로나 정서적으로 큰 도움이 될 수 있으리라는 얄팍한 계산 때문이었다.

우리 형제들이 모두 결혼한 뒤 나는 부모님에게 이젠 나이도 드시고 서울에서 할 일도 없으시니 공기 좋은 시골에 터를 잡고 사시면 어떻겠느냐고 넌지시 떠보았다. 입으로는 부모님의 노후생활을 설계해 드리는 척했지만 까놓고 보면 휴가 때마다 아이들 데리고 놀러 가려는 속셈이 더 컸다.

내 속셈을 간파했는지 어땠는지 잘 모르겠지만 그때 어머닌 잠깐의 머뭇거림도 없이 "싫다, 난 그렇게 불편한 생활 못한다." 단 한마디로 잘라 버리셨다. 평소에 의사표현을 잘 하지 않으시던 관례에 비하면 놀랄 만큼 단호한 언사였다. 난 노인이면 노인답게 조용한 전원생활을 즐기실 일이지 이렇게 번잡한 도시에서 무슨 영광을 보려고 저러시나 속으로 구시렁거리며 입을 삐쭉거렸다.

이제 와 돌이켜 보면 그 무슨 철딱서니란 말인가. 자기 아이들이 아스팔트 킨트로 자라는 게 그렇게 가슴 아프다면 스스로 시골에 터를 잡아 고향을 만들어 주어야지, 자기는 무슨 권리로 도시에 떡 버티고 앉아서 늙은 부모의 등을 밀어 대는가 말이다.

만약 몇 년 후 내 자식들이 나에게 그런 제안을 한다면 난 아마 천길 만길 뛸 거다. 지금은 누가 등을 밀어 대지도 않는데 틈만 나면 도심에 사는 이유를 열심히 둘러대는 판인데 만약 자식들로부터 등을 밀린다 싶으면 백 가지 천 가지 이유를 주워섬길 게 뻔하다. 요즘 젊은이들 이기적이라고 욕할 것 없이 모든 자식들은 부모들에 대해서만큼은 항상 이기적인 것 같다.

그런데 우리 아이들은 어디를 고향이라고 해야 하나.

TV에서 고속도로를 가득 메운 귀성차량을 보면서 언젠가 아이들은 이렇게 말했다.

"우리 고향은 신촌 세브란스 병원인데."

아쉽다는 건지, 다행이라는 건지.

어쨌거나 우리 아이들은 서울에서 태어나 서울에서 자랐으니 의심할 여지 없는 서울 사람이다. 엄마에게는 없는 고향을 만들어 주었으니 이만만 해도 성공으로 생각해야지.

어떤 이산

부모와 자식이 느끼는 그리움 사이에는 엄청난 거리가 존재한다.
자식이 부모를 그리는 마음은 부모가 자식을 그리는 마음에
비할 상대가 되지 못한다. 왜 자식을 키워 보지 않으면
그 마음을 그토록 헤아리기 어려운 걸까.

4년 전에 돌아가신 나의 아버지는 실향민이다. 함경도 산골에서 태어나 여남은 살에 단신 월남해 일자리를 얻었다. 결혼할 나이가 되자 부모가 위독하다는 거짓 전보를 받고 올라갔더니 색시감을 구해 놓았더란다. 결혼식을 올리고 서둘러 다시 내려온 후 다시는 고향 땅을 밟지 못했다.

학력도 빽도 없었던 아버지는 오로지 성실성 하나로 말단 공무원의 자리를 지켰고 6남매를 낳아 키우는 동안 자식들 앞에서 고향 이야기를 입에 올리는 적이 거의 없었다. 남북 7 · 4 공동성명이 발표된 지 얼

마 후 곧 이산가족 상봉이 이루어질 것 같은 분위기로 온 나라가 들떴을 때였다. 아버지에게 가족 상봉을 신청해 보라고 권하자 아버지는 다 쓰잘데없는 짓거리들이라며 코웃음을 쳤다.

"그것들이 정말 할 마음이 있는 줄 알아? 내가 왜 그것들에 놀아나?"

공무원이라는 직업이 무색하게 아버지는 양쪽 '정치한다는 것' 들에 대해 뿌리 깊은 불신을 숨기지 않았다(부모님은 사람들을 욕할 때 '놈' 이나 '년' 보다 '것' 이라는 말을 썼다. '그것들' 이라는 말 속에는 도저히 눌러지지 않을 것 같은 적개심이 켜켜이 쌓여 있는 듯한 느낌이 있다). 아직 철이 들지 않았던 우리 형제들은 가족 상봉에 냉담한 부모님이 이해되지 않아서 두 분이 너무 현실적이고 자기중심적인 분들이 돼 놔서 그런 모양이라고 은근슬쩍 흉을 보았었다.

반면 가끔 집에 놀러 오던 사촌오빠는 술만 취하면(아니 노상 취해 있었지만) 고향에 남겨둔 가족의 이름을 불러 대며 울어 댔는데 그럴 때마다 아버지는 머저리 같은 짓 그만두라며 버럭 역정을 냈다. 그러면 오빠는 울음소리를 죽이는 대신 독한 소주잔을 연거푸 들이키며 담배연기를 뿜어 댔다. 그런 오빠를 볼 때마다 난 오빠가 아버지보다 훨씬 인간적이라고 생각했다.

오빠를 처음 만난 것은 아마 내가 초등학교에 들어가던 해였던 것 같다. 어느 날 우리 집에 키가 크고 몸이 바싹 말라 휘청휘청한 웬 아저씨가 찾아왔다. 나의 아버지보다 훨씬 늙어 보이는 그분은 아저씨가 아니라 오빠라고 했다. 아버지는 9남 1녀 중의 막내아들이었고, 그 오

118

빠는 제일 큰 형님의 큰아들이라 아버지보다 한 살인가 더 위였다.

북한군으로 한국전쟁에 끌려 나왔다가 포로가 된 그 오빠는 거제도에 수용되어 있다가 남쪽을 택했다. 오빠의 삼촌인 나의 아버지가 공무원이었던 덕분에 수소문하기가 쉬웠다고 했다. 오빠는 아버지의 주선으로 역시 공무원이 되었고 우리와 같은 면에서 살았다. 그런데 얼마 지나지 않아 또 북한에서 교직에 있었던 제일 위의 큰아버지도 단신 남하해서 막내 동생인 나의 아버지를 찾아왔기 때문에 두 부자는 극적으로 다시 만났다.

어떤 경로를 통해서인지 알 수 없지만 두 분은 비슷한 시기에 각각 재혼을 했다. 할아버지처럼 쪼글쪼글 늙었던 큰아버지는 걸걸한 목소리에 씩씩한 큰어머니를 만났고 나이보다 훨씬 겉늙은 오빠는 아주 얌전해 보이는 젊은 처녀와 결혼했다. 직장도 자리가 잡히는 것 같았고 아들도 연달아 셋씩이나 낳은 오빠 부부는 어린 내 눈에 아주 행복하게 비쳤다.

그러나 우리가 서울로 이사온 후 가끔 찾아오던 오빠는 늘 우울한 표정이었다. 세월이 갈수록 북에 두고 온 자식들이 사무치게 보고 싶다고 눈물을 흘렸다. 내가 오빠의 딸과 똑 닮았다면서 각별한 정을 보이기도 했다. 아버지는 그런 오빠에게 왜 그렇게 마음이 여리냐, 여기 자식들을 봐서라도 현실을 인정하고 즐겁게 살아야 한다고 간곡하게 말했지만 오빠의 회한은 점점 더 깊어 가는 것 같았다. 오빠는 자신의 선택이 잘못됐다며 괴로워했다.

어느 해던가 청와대 뒤까지 무장공비가 침투했던 때였다. 신문에 공비들의 널브러진 시신 사진이 실렸었다. 우리가 볼 때는 그 얼굴이 그 얼굴로 영 구분이 안 되는 사진이었는데 그들 중의 하나가 두고 온 아들과 꼭 같다고 확신한 오빠는 제정신이 아닌 채 우리 집을 찾아와 한 바탕 통곡했다.

그때까지 오빠에 대해 연민을 느꼈었던 나는 오빠의 실성한 듯한 모습에 정나미가 떨어졌다. 저렇게 괴로워할 거라면 왜 남쪽에 남았을까, 그리고 일단 남기로 했으면 이곳 생활에 적응해야지 언제까지 북쪽을 바라보며 울기만 하려는가, 저렇게 우유부단하니 결과적으로 북쪽의 가족과 남쪽의 가족을 모두 괴롭히는 게 아니냐, 아무튼 남자는 마음이 여리면 못쓴다고 오빠를 못마땅해했다.

아들들이 커 가면서 우리 집에 들르는 빈도가 뜸해지자 아버지는 오빠도 이젠 마음을 잡았나 보다고 안도하고 있었다. 하지만 그것도 잠시, 어느 날 느닷없이 날아든 소식, 그것은 오빠의 자살이었다. 그리움이 독이 되어 오빠의 목숨을 앗아 간 것이다. 또다시 남쪽의 아내에게 큰 상처를 남겨 놓고.

오빠의 대책 없는 죽음 이후 난 아버지의 냉담한 태도야말로 실향민이 살아가는 방법 중 최선책이 아닐까 하는 쪽으로 생각이 바뀌었다. 그리고 오빠의 아픔에 대해서도 나이가 들수록, 내 자식들이 커 갈수록 더욱 이해하게 되었다. 오빠와 아버지의 차이는 단지 성격 때문이 아니었다는 사실도 뒤늦게 깨달았다. 부모와 자식이 느끼는 그리움 사이에는 엄청난 거리가 존재하는 것이다. 자식이 부모를 그리는 마음은 부모가 자식을 그리는 마음에 비할 대상이 되지 못한다. 왜 자식을 키위 보지 않으면 부모의 마음을 그토록 헤아리기 어려운 걸까.

냉담하게만 보였던 아버지는 당신의 칠순기념 여행지로 백두산을 택했다. 비록 중국 쪽으로 올라가야 했지만 아버지는 어머니의 손을 잡고 백두산에 올라 멀리 고향 땅을 바라보고 왔다고 감격스러워했다.

그리고 큰딸인 내가 연변에 1년 동안 가 있게 되자 아버지는 떨리는 손으로 당신의 형제분들 이름을 하나하나 적어 주셨다. 억지로 애쓸 필요는 없고 시간이 되면 좀 찾아보라는, 짐짓 느긋한 척하던 아버지 앞에서 난 내 밴댕이 속아지를 얼마나 부끄러워했는지 모른다.

아버진 그렇게 떠나고 이제 어머니마저 병이 깊다. 어머니가 돌아가시면 북한에 살아 있을 수많은 사촌들과 그 자녀들을 우리와 맺어줄 고리는 이제 아무 데도 없다. 혹시 나중에 통일이 될 경우 서류상으로는 어찌 어찌 친척관계를 확인할 수 있다손 치더라도 핏줄로서의 애틋한 느낌은 아마 기대할 수 없을 것이다. 이산 1세대들이 살아생전 혈육 상봉을 그토록 염원하는 건 자신들의 그리움 때문만이 아니라 다음 세대에 대한 걱정 때문인지도 모른다.

이산가족의 서울 · 평양 교환방문이 꿈같이 이루어지던 날, 나는 서로 닮은 모습으로 부둥켜안고 통곡하는 주름진 얼굴들 너머로 사촌오빠와 아버지의 얼굴을 보았다. 솔직히 아버지가 돌아가신 이후로 난 이산가족의 상봉에 대해서 냉담한 편이었다. 1세대가 거의 다 세상을 뜨게 되었는데 무슨 의미가 있을까 싶었다.

하지만 아직도 많은 부모들이 자식 만나기만을 고대하면서 여든 살 아흔 살을 넘어 버텨 내신 걸 알고 가슴이 저려 왔다. 특히 어머니들의 그 그리움이라니. 어머니들에게 그리움은 독이 아니라 힘이었다.

통일은 좀 천천히 해도 좋다. 같은 동포가 남북으로 갈라져서 사니 이런 비극이 어디 있느냐고 흥분하는 건 부모 자식 간에 헤어진 사람들의 심정을 헤아릴 때 너무 추상적으로 들린다. 통일로 가는 길은 더디더라도 혈육 간의 만남은 당겨야 한다. 시시때때로 발생하는 어떤 돌발사도 혈육이 만나는 데 장애물이 되어선 안 된다.

혈육끼리 왕래는커녕 편지도 전하지 못하는 이 땅은 도대체 어떤 땅인가.

5장 | 여자들은 아픈 데가 많다

2001. 2. 12.
윤석남

몸의 반란

쭈그렁 밤송이 10년 간다고 약한 사람이 오래 사는 이유는
자기 몸을 아끼고 또 병원에 자주 가기 때문이다. 무쇠 같은 사람들은
버틸 때까지 버티면서 결국 병을 키우기 쉽다. 그런 걸 잘 알면서도
선뜻 병원을 찾게 되지 않으니 습관의 힘이 얼마나 큰지.

내 입 속은 금광이다. 광부가 보면 곡괭이 들고 달려들고 싶어할 만
큼 금이 널려 있다. 유난히 군것질을 좋아한 당연한 결과로 어렸을 때
부터 치과를 들락거려야 했다. 조그만 면소재지의 그 우왁스러웠던 치
과의사, 그리고 이를 갈아 대던 그 굉음이 지금도 가끔 꿈에 나타나곤
한다.

또 내 오른쪽 발톱은 목불인견이다. 대학시절부터 줄곧 신었던 스타
킹은 내 오른쪽 발가락에 무좀을 선물했고 매사에 그렇듯이 그냥 무심
퉁하게 놔 두었더니 언젠가부터 발톱이 보기 흉하게 변색되었다. 한여

름철이면 젊은 여성들이 샌들 바깥으로 드러낸 예쁜 발톱을 난 정말 부러운 마음으로 쳐다보게 된다.

이런 두 가지 하자만 빼면 그런대로 난 자신의 몸에 만족하며 살아 왔다. 물론 예쁘게 생겨서가 아니라 건강 하나는 타고났다는 데 자부심 이상의 자만심을 갖고 살았다. 나이 오십이 넘어서까지.

아니, 정말 솔직히 얘기하자면 사춘기 때는 자신이 너무 에너지가 넘친다는 게 때로는 싫기까지 했다. 난 중고등학교 6년 동안 결석 한 번 못해 보고 살았다. 그 흔한 복통이나 두통, 생리통조차 도대체 어떤 건지 몰랐으니까. 운동장에서 열리는 전교조회 때마다 곳곳에서 픽픽 쓰러지는 아이들이 부러웠던 적도 있었다. 창백한 얼굴에 몸매가 코스모스처럼 한들거리던 그 애들은 타고난 공주 같았던 반면에 난 타고난 하녀 같았다. 이런 무쇠 같은 몸을 갖고서야 평생 남에게 보살핌을 받으며 귀태 나게 살기는 틀렸지 싶어서 부모님이 원망스럽기도 했다.

몸 때문에 하고 싶은 걸 못한 적이 없었기 때문에 나는 몸을 잊고 살았다. '건강한 육체에 건강한 정신'이라는 말이 난 처음부터 마음에 들지 않았다. 건강한 육체에 대한 강조는 정신에 대한 육체의 우위를 주장하는 것처럼 들려 어쩐지 인간이 한 차원 밑으로 끌려 내려가는 느낌이었다.

어렸을 때부터 나는 마음이 건강한 한 몸은 건강할 수밖에 없다고 믿었다. 그리고 난 선천적으로 건강한 마음을 가지고 태어났기에 내 몸도 망가질 수 있다고는 꿈에도 생각하지 못했다.

대부분의 여성들이 그러듯이 나는 나의 몸을 마구 부려먹었다. 취직

126

과 결혼, 출산, 육아로 이어진 여성의 시간 속에서 내 몸은 쉴 틈이 없었다. 게다가 워낙 노는 걸 좋아하는 편이라 틈만 나면 '결사적으로' 놀았다. 가장 대표적인 놀이는 친구들과 밤새도록 마시고 떠드는 일이었다. 아무리 피곤해도 하룻밤 자고 나면 몸은 말짱하게 돌아왔다.

아이들을 어느 정도 키우고 어른들 말씀대로 '이젠 몸이 좀 편해질' 즈음에 나는 다시 사회생활을 시작했다. 10여 년 동안 전담해 왔던 집안일은 조금도 줄지 않은데다 나를 위한 새로운 일이 더해져 몸은 더욱더 혹사당할 수밖에 없었다. 안정적인 일보다 새로운 일에 훨씬 더 매력을 느끼는 성격 탓에 일은 날마다 늘어만 갔다. 어느새 일 중독증 비슷한 증세까지 나타나 일과 일 사이에 자그마한 틈새라도 생기면 내가 너무 게으르게 사는 게 아닌가 하는 죄책감까지 일었다. '즐겁게 일하면 과로는 없다'가 새로운 모토가 되었다. '일한 만큼 쉰다'가 아니라 '일한 만큼 논다'며 밤새고 노는 일도 계속 열심히 했다. 그러면서도 머리 속은 내일 아침 아이들 도시락 반찬 걱정이 떠나지 않았다. 집안일을 하면서는 강의와 원고에 대한 생각으로 꽉 찼다.

쉰이 넘으면서부터 자주 피로감을 느끼기 시작했다. 피로감은 실컷 자고 나도 사라지지 않고 하루 종일 지속되곤 했다. 언제부터인가 생리 때마다 심한 몸살을 앓았다. 생리량이 자꾸 늘어났지만 아마 폐경기가 가까워지니까 그런가 보다 하고 일생 안 먹던 진통제를 먹는 걸로 넘기곤 했다.

몸이 마르고 얼굴이 꺼칠해지자 남편과 아이들은 병원에 가 보라고 난리들이었지만 난 고집을 피웠다. 심지어 내 몸 내가 알아서 사는데 웬 성화냐며 화까지 냈다. 남편의 사업실패로 너무 스트레스를 받아서 그런 거니 요 고비만 잘 넘기면 괜찮을 거라고 강변했다.

솔직히 큰 고비 없이 살아온 나에게 남편의 사업실패는 내 예상보다 훨씬 큰 충격으로 다가왔다. 마음 깊숙한 곳으로부터 불안감과 좌절감이 피어올라 나를 흔들어 대었다. 내 딴에는 그로기 상태가 되어 휘청거리는데도 내 이미지가 너무 씩씩하게 각인되었는지 가장 가까운 친척도, 또 가장 가까운 친구도 나를 위로해 주지 않았는데 그 사실이 또 못 견디게 서러웠다. 그런데 참 이상한 일은, 아주 조그만 일에는 펑펑 눈물을 잘도 쏟던 내가 결정적인 일에는 눈물 한 방울 나지 않는 거였다. 오히려 나는 그 스트레스를 이겨 내기 위해서 더 많은 일을 했다. 때마침 자녀교육에 관해 쓴 책이 베스트셀러가 되는 바람에 전국에서 강연요청이 쇄도했고 방송출연이나 원고청탁도 줄을 이었다. 나도 큰 돈을 벌 수 있다는 자신감을 얻은 것도 그 즈음이었다. 그야말로 몸이 대여섯 개 있어도 모자랄 지경이었다.

지방강연을 갔다 오면 마치 시체처럼 늘어져 잠을 잤지만 피로감은 아침이 되어도 사라지지 않았다. 자고 난 자리는 식은땀으로 젖은 빨래 같았다. 꿈속에서 내가 죽는 꿈을 꾸고 난 아침 문득 이러다가 죽는 게 아닐까 하는 생각이 나를 사로잡았다. 평소에는 어느 때 죽어도 좋다고 생각했던 나였는데 정작 죽을지도 모른다는 생각이 드니 나도 모르게 공포심이 일었다.

하지만 나는 우리 아이들의 말대로 '병원 포비아'가 있다. 어렸을 때부터 병원에 다닌 일이 거의 없는 사람들에게 병원은 감옥처럼 두려움의 대상이다. 스트레스 탓이니 어쩌니 둘러대었지만 나는 병원이 싫고 무서웠다.

쭈그렁 밤송이 10년 간다고 몸이 약한 사람이 오래 사는 이유는 자기 몸을 아끼고 또 병원에 자주 가기 때문이다. 무쇠 같은 사람들은 버틸 수 있는 때까지 버티면서 결국 병을 키우기 쉽다. 그런 걸 잘 알면서도 선뜻 병원을 찾게 되지 않으니 습관의 힘이 얼마나 큰가를 알 수 있다.

어느 날 아침 생리가 보름이 되도록 그치지 않으면서 온몸에서 힘이 쭉 빠져나가는 게 느껴졌다. 몸속에 피 한 방울 남지 않은 것 같은 기분, 마치 껍데기가 된 기분이었다. 오후 두 시에 프레스 센터에서 사회를 보기로 되어 있었지만 도저히 그때까지 몸을 추스릴 자신이 생기지 않았다.

나는 생전 처음으로 약속 취소의 전화를 걸었다. 내 목소리가 심상찮았는지 상대방은 단 한마디 난색도 표하지 못하고 몸조리 잘하라는 말만 거듭했다. 수첩을 뒤져 가까운 시일 안으로 약속된 예닐곱 개의 스케줄을 다 취소했다.

남편에게 병원에 가야겠다고 말하니 남편은 기다렸다는 듯이 채비를 했다. 나는 아줌마뻘 되는 친척이 운영하는 산부인과로 갔다. 나보다 몇 살 어린 아줌마는 내 얼굴을 보자마자 혀를 찼다. 최씨네 식구는 왜 다 이렇게 갈 데까지 가야 오냐면서(나의 엄마는 최씨다).

간단히 내진을 한 후 그는 한 종합병원에 전화를 걸어 나를 부탁했다. 자신이 아주 존경하는 선생님이신데 잘 봐주실 거라고 했다.

응급실로 들어가자마자 나는 중환자 취급을 받았다. 혈액검사 결과에 많은 사람들이 놀라서 한마디씩 했다. 빈혈이 너무 심해서 자칫했으면 길거리에서 죽을 수도 있었다고 했다. 모두들 이런 몸으로 어떻게 움직였느냐고 물었다. 엎친 데 덮친 격으로 혈당수치도 꽤 높은데 어떻게 모를 수 있었느냐고 하나같이 놀라는 표정이었다. 나는 내 느낌만이 아니라 의학적으로도 죽음 일보 직전까지 갔나 보았다.

생전 처음 남의 피를 보충하면서 수술할 수 있는 몸을 만드는 데만 꼬박 일 주일이 걸렸다. 수술실로 실려 들어가기 직전 어떤 여자가 다가와 뭐라고 말을 거는데 아마 하느님을 믿느냐고 묻는 것 같았다. 그때 뭐라고 대답을 했는지 지금 기억이 나지 않는다. 수술대에 누워 마취주사를 맞으며 천장을 보니 왜 그렇게 페인트가 지저분하고 또 등이 흐릿하던지.

"영화에서는 수술실이 삐까번쩍하던데 여긴 왜 이렇게 낡았어요?" 하고 묻자 간호사는 수술대에서 이렇게 웃기는 환자 처음 봤다면서 소리 내어 웃었다. 그 모습을 보면서 나는 잠이 들었고 그 사이에 내게서 자궁과 난소가 사라졌다.

나는 병원에서 유명해졌다. 무식한 환자로서. 얼굴이 달덩이처럼 훤한 간호부장은 어디서 들었는지 여성학을 하는 여자가 그렇게 자기 몸을 모를 수가 있느냐면서 노골적으로 흉을 보았다(그가 말하는 여성학이 어떤 내용일까 궁금했지만 그냥 묻지 않기로 했다).

기껏해야 서른을 갓 넘겼음 직한 젊은 레지던트 역시 나의 무식에 혀를 내두르면서 완전히 어린애 취급이었다. 각자 자기 사는 데 바빴

다가 놀라서 쫓아왔던 아이들은 앞으로 또 한 번만 이런 식으로 자기들을 놀래키면 가만 안 있겠다면서 으름짱을 놨다. 하얗게 탈색됐던 얼굴에 핏기가 돌아온 남편은 아무튼 너희 엄마 고집은 알아줘야 한다면서 마음껏 내 흉을 봤다.

지난 반백 년 동안 철저하게 무시당해 왔던 내 몸은 이렇게 멋지게 반란을 일으켰다. 덕분에 나는 생전 처음으로 보살피는 하녀가 아니라 보살핌을 당하는 공주가 되는 호강을 누렸다. 하지만 공주는 불편하고 어색하고 미안한 자리였다.

세상이 달리 보이네

난 즐겁지 않은 인생은 인생이 아니라고 생각했다.
그래서 우울함은 물론이고 심심함조차 내 시간에 용납할 수 없었다.
하지만 몸은 인생이 꼭 즐겁지만은 않을 수도 있음을 가르쳐 주었다.
내 인생이 즐겁지 않을 수도 있다는 걸 받아들이는 데는 시간이 필요했다.

한 번 크게 타격을 입은 몸은 좀체로 쉽게 회복되지 않았다. 꺾인 건
몸뿐만 아니라 마음도 마찬가지였다. 그동안 해 온 일 중에서 최소한
의 일 — 일주일에 두 번씩 나가서 2시간 이내로 앉아서 하는 일 — 을
빼고는 모든 일에 겁부터 났다. 전에는 겉보기와 달리 우유부단한 성
격 때문에 일을 거절하기 어려웠다. 정 때문에, 뜻 때문에 그리고 돈
때문에 일을 맡다 보니 일이고 몸이고 과부하가 될 수밖에 없었다(외
강내유의 전형이 바로 나다).

하지만 몸이 있어야 일이 있는 거였다. 튕기는 게 아니라 일할 몸이

사라지니 일을 거절하는 일은 너무 간단했다. 몸이 안 좋다는 사람에게 매달릴 바보는 어디에도 없었다. 나는 어떻게 거절해야 하나 하는 고민거리를 깨끗이 덜어낸 데 대해 자유로우면서 한편 섭섭한 마음도 들었다.

한 달쯤 쉬면 꽤 나아지리라고 기대한 건 오산이었다. 생애 처음으로 한가한 몸이 되었음에도 몸은 살아날 줄 몰랐다. 몸이 시들시들하니까 기분은 자꾸자꾸 속으로 기어 들어갔다. 처음엔 자궁을 들어낸 여자들이면 대부분 겪게 마련이라는 수술 후 우울증이지 싶었는데 단지 그뿐만은 아닌 것 같았다. 시시때때로 끝을 알 수 없는 불안감이 나를 엄습했다. 그런가 하면 갑자기 심장 부근에서 무언가 덩어리 같은 것이 철렁 하고 떨어지는 소리에 깜짝깜짝 놀라곤 했다.

계절 탓이었는지는 모르겠지만 때마침 그 무렵의 매스미디어들은 주부의 우울증에 대한 기사를 자주 다루었다. 다음 열두 가지 증상 가운데 몇 가지에 해당되면 당신은 우울증입니다, 라고 제시한 항목들을 읽으면 내 경우엔 거의 전 항이 다 해당되었다. 나에게 더 이상 미래는 없으며 나는 쓸모없는 인간이라는 생각에서 벗어날 수 없었다.

수술한 지 두 달쯤 지났을 때 연구원으로부터 연락이 왔다. 내가 가장 존경하는 선배와 함께 둘이 중국의 연변대학으로 가서 여성학 강좌를 열면 어떻겠느냐는 제의였다.

나는 풀 죽은 목소리로 몸에 자신이 없다고 일단 거절했지만 원장은 앞으로 두 달이면 회복되지 않겠느냐, 기분전환도 할 겸 한번 가 보라고 강력하게 설득했다. 좋아하는 사람들의 말에는 쉽게 끌려가는 성격

대로 나는 어쩌면 그럴 수도 있겠다는 쪽으로 마음이 바뀌었다. 우울
증뿐만 아니라 건강회복에는 무엇보다 긍정적 사고를 가져야 한다고
들 하니까 억지로라도 나를 추스르는 노력을 해 보고 싶었다.

강의안을 짜기 위해 새로 책을 뒤적이는 한편 나는 사전 연습차 몇
차례의 강연제의를 받아들이기로 했다. 늘 해 오던 내용이요 익숙한
청중들이었다. 하지만 나는 예전의 내가 아니었다. 두 시간이 그렇게
긴 시간이었다니. 에어컨도 성능이 좋았고 연단에는 선풍기까지 돌아
갔지만 처음부터 끝날 때까지 내 등줄기로는 땀이 냇물처럼 흘러내렸
다. 힘 빠진 강사의 이야기를 두 시간씩이나 참고 들어야 했던 청중들
에게 미안하기도 했지만 무엇보다 내가 너무 힘들어서 강의는 당분간
쉬어야겠다고 결심했다. 연변행은 취소되었다.

새삼 내가 오랫동안 너무 과로를 하며 살았구나 하는 생각이 들었
다. 전에는 강연을 하면서 그게 힘든 일이라는 생각을 한 적이 거의 없
었다. 오히려 새로운 사람들과의 만남, 그들과의 교감에서 힘을 얻는
편이었다. 내 생각이 사람들에게 받아들여진다는 사실에 기분이 좋아
말을 하면 할수록 기운이 더 났다. 비행기를 타고 내려가 오전에는 창
원, 오후에는 진주에서 잇달아 대형강연을 하고 돌아온 적도 있었다.
그뿐인가. 40대 초반에는 두 시간짜리 대학강의를 세 번 연속으로 하
기도 했다. 여성학이 대중화되기 시작하던 80년대 말에서 90년대 초
기 사이였다. 하지만 내 몸은 무쇠가 아니었다.

몸을 그토록 무시했던 나는 이제 몸에 완전히 제압당한 처지가 되었
다. 나는 아주 조그만 일에도 몸의 눈치를 살펴야 했다. 공적인 모임은

물론 친구를 만나는 일조차 일단 몸에게 물어 봐야 했다.

좀처럼 어려울 것 같았던 우울증에서 빠져나오고 피로감을 다소 덜 느끼게 된 건 그렇게 몸을 사린 지 거의 2년이 다 되어서였다. 물론 지금도 어느 날 아침 갑자기 얼굴이 벌겋게 부풀어오르는 따위의 깜짝쇼를 통해 몸은 부단히 자기 존재를 알리고 싶어하지만.

오랜만에 만나는 사람들은 내가 몰라보게 변했다며 놀란다. 우선 근 10년 동안 길렀던 머리를 싹둑 잘라 버린 데다가 체중도 많이 줄었기 때문이다. 머리를 자른 건 무슨 이미지 변신을 위해서가 아니라 순전히 몸 탓이다. 수술 후부터 왼쪽 팔이 무겁고 어깨가 뻐근하더니 어느 날부터인가 왼손이 머리 뒤통수까지 안 올라갔다. 자기 머리를 자기가 만질 수 없는 몸이 된 것이다. 그렇다고 머리를 매만져 줄 딸 하나 없는 형편이니 방법은 오직 하나, 매만질 필요가 없는 헤어스타일을 만드는 것밖에 없었다.

체중은 오히려 수술 직전보다 4, 5kg 정도 불어난 상태인데 머리가 짧으니 얼굴이 조그마하게 보이고 예전보다 몸은 훨씬 말라 보이는 모양이었다.

내 상황을 잘 모르는 사람들은 어떻게 체중조절을 했느냐고 진지한 표정으로 묻기도 한다. 나는 농담으로 돈을 많이 들여서 뺐다고 하는데 재미있는 사실은 대부분의 경우 진담으로 받아들인다는 점이다. 하긴 살 빼는 데 드는 돈이 살 찌는 데 드는 돈보다 엄청 많은 세상이 아닌가. 게다가 다이어트에 관심 없는 사람 있으면 나와 보라고 그래.

나를 비교적 잘 아는 사람들은 내가 외양만 아니라 성격도 변했다고 말한다. 나와 띠동갑인 12년 후배는 만날 때마다 "언니가 이렇게 변할 줄은 꿈에도 몰랐다." 하면서 안쓰러운 눈길을 보낸다. 그렇게도 씩씩했던 사람이 너무 기가 꺾였다는 것이다. 사노라면 자신의 의지와 상관없이 동정의 대상이 될 때도 생기나 보다. 전 같으면 남에게 동정의 대상으로 비친다는 것만으로도 자존심이 상해서 펄쩍 뛰었을 테지만 지금은 그러니? 하고 빙그레 웃는 것으로 그만이다. 그러고 보면 기가 꺾였다는 지적은 정확한 말이다.

하지만 그 사실이 크게 서글프지는 않다. 몸이 안 좋아지면서 세상을 보는 눈도 달라졌기 때문이다. 물론 이런 변화가 단순히 몸 때문인지 아니면 그 사이에 또 몇 년 나이가 들어서인지 분명히 알 수는 없지만…….

무엇보다 난 치열하게 살지 않는 인생은 인생이 아니라고 생각해 왔다. 그렇다고 크게 이름을 남기고 싶은 것도 아니었다. 그냥 조그맣더라도 세상에 왔다간 자취는 남겨 두어야 한다는 그런 종류의 치열함이었다. 그런데 이제 조용히 뒤돌아보니 나는 치열함과 분망함을 혼돈하며 살았던 것 같다. 내 인생은 그저 분망하기는 했지만 진정한 의미에서의 치열함과는 거리가 멀었다. 성격 자체에 한 가지를 붙들고 매진하는 어떤 열정 같은 것이 부족했기 때문이었다. 그렇다면 지금부터라도 제대로 치열하게 살아야겠다고 다짐해야 할까. 제발 참으라고 몸이 막고 나선다. 나를 위해서 좀 느슨하게 살아 달라고. 꼭 무언가를 남겨야만 하는 건 아니라고.

또 하나 난 즐겁지 않은 인생은 인생이 아니라고 생각했었다. 그래서 우울함은 물론이고 심심함조차 내 시간에 용납할 수 없었다. 하지만 몸은 인생이 꼭 즐겁지만은 않을 수도 있음을 가르쳐 주었다. 즐겁지 않은 것도 나의 인생이었다. 내 인생이 즐겁지 않을 수도 있다는 걸 받아들이는 데는 시간이 필요했다. 인생은 짧은 즐거움과 긴 괴로움의 연속이라는 말은 문학적 수사가 아니었다. 그건 모든 사람들의 현실이며 나의 현실이었다.

한때는 인생이 예측가능하다고 믿었다. 인생이 자신을 속인다고 울부짖는 사람들은 탄탄한 준비를 하지 않은 게으른 자들이라고 생각했다. 살아가는 길 곳곳에 숨어 있다는 함정에 난 절대로 빠지지 않을 자신이 있다고 자만했다. 남들은 다 빠져도 나만은 결코 빠지지 않으리라는 그 자만심이 과연 어디서 비롯되었던 것인지. 남에게 일어날 수 있는 일은 바로 나에게 일어날 수 있는 일이라는 당연한 진리를 깨닫는 데 참 오래도 걸렸다.

내가 몸이 안 좋다고 풀 죽은 목소리로 말하자 다짜고짜 "아, 이젠 좀 인간적이 되었겠네."라며 신난다는 듯이 크게 웃던 친구가 있었다. 전에는 너무 힘이 넘쳐서 비인간적으로 보였다나 뭐라나. 나를 만나면 괜히 기가 죽었다고 한다. 그 말을 듣고 며칠 동안은 되게 기분이 나빴었는데 시간이 흐를수록 수긍이 간다. 나 역시 여전히 혈기왕성한 모습으로 살아가는 친구들을 보면 나하고 다른 인종처럼 보이니까.

그러고 보면 나이가 들고 몸이 약해진다는 게 반드시 나쁘기만 한 일이 아닌지도 모르겠다. 세상의 한복판으로 뚫고 들어가 치열하게 사는 대신 멀찌감치 물러나서 조용히 구경만 해도 뭐 뒤떨어진다는 느낌이 들지 않아서 좋다. 또 가난과 질병으로 고통을 겪는 이들의 이야기를 들으면서 건성으로가 아니라 진짜로 눈물을 흘릴 수 있어서 좋다.

여자들은 아픈 데가 많다

그들은 아플 수밖에 없다. 때가 오면 훨훨 날아다닐 수 있도록
날 준비를 착실히 해 온 그들이지만 날개가 다 자라도 날 수 있는
공간은 좀체 없다. 겨드랑이가 근지러워서, 움츠린
날개가 갑갑해서 그들은 몸이 아프다.

『여자들은 왜 아픈 데가 많을까』라는 제목의 책이 출간되었다는 기
사를 읽었다. 제목만 봤을 때는 당장 인터넷으로 주문하고 싶었는데
짧막한 소개 글을 읽자 금방 구미가 떨어져 버렸다. 뭔가 그럴싸한 내
용이 있을 듯한 제목이었는데 실은 여자들이 남자보다 아픈 데가 많은
건 호르몬 관계라는 아주 과학적인 내용인가 보았다. 너무 싱거웠다.

참 이상하다. 요즘 주위를 살펴보면 도대체 어디 한 군데 아프지 않
은 여자들이 없는 것 같다. 나보다 나이를 더 먹은 여자들은 말할 것도
없고 내 또래도 다 아프다. 더구나 나보다 훨씬 젊은 여자들도 거의 다

어딘가가 한 군데씩은 아프다.

전에는 이렇게 아픈 여자들이 많은 줄 짐작도 못했다. 내가 건강에 자신이 있었을 때는 다른 여자들도 다 건강한 줄만 알았다. 가끔 가다 눈에 띄게 비실비실한 여자들을 보면 그냥 아, 저 여자는 몸이 좀 약하게 타고났군, 하고 약간의 동정심을 품는 게 고작이었다. 다른 여자들하고 몸에 대해 이야기를 나눈 경우도 거의 없었다. 아니, 좀 더 정확하게 말하자면 몸 이야기를 전혀 하지 않은 건 아니었다. 다만 건강에 관한 이야기가 아니라 외모에 관한 이야기였을 뿐이었다. 요즘엔 남자 여자를 가릴 것 없이 초미의 관심사로 등장한 체중과 체형 그리고 다이어트라는 주제, 그것은 여자들 사이에서는 오래전부터 아주 익숙한 화제였다.

건강에 대한 이야기를 안 하고 산 이유는 자신이 건강했기 때문이기도 했지만 그것은 노인들의 전용 화제라고 생각했기 때문이다. 안 뵐 땐 효도해야지 하다가도 정작 어른들을 만나면 몇 시간이고 들어야 하는 어디어디가 아프다는 말씀들, 얼마나 지겹던지. 또 뭘 먹으면 어디에 좋고, 누굴 찾아가면 어떻게 좋고…… 하는 이야기를 한없이 듣다 보면 듣는 사람까지 온 군데가 다 아파지는 것 같아서 짜증이 난다.

그런데 내가 한번 심하게 아프고 난 후부터 세상이 갑자기 달라졌나 보다. 지구가 나를 중심으로 돌기로 마음먹었는지 요즘에는 신문에서 건강 섹션까지 따로 내고 있다. 젊은 여자들 사이에서도 다이어트가 아니라 건강은 일상적인 화제가 되었고 더 놀라운 사실은 이젠 아프지 않다는 여자를 만나기가 어렵다는 것이다. 왜 이렇게 세상이 달라졌을까. 여자들의 건강에 갑자기 문제가 생긴 것일까.

아마 내가 나의 몸뿐만 아니라 상대방의 몸에 대해 관심을 갖게 되었기 때문에 그럴 것이다. 전 같으면 그저 지나치는 인사로 "어떻게 지내냐."라고 물었지만 요즘은 "그래 건강은 어떠니?"라고 구체적으로 들어가게 된다. 어떻게 지내냐는 물음엔 "그저 그렇지 뭐."라던 대답들이 건강을 묻는 인사에서는 아주 달라지게 마련이다. 심리적인 상태를 말하던 대답에서 육체적인 상태에 대한 구체적인 언급으로 바뀐다.

또 상대방이 안부를 물어 올 때의 내 대답도 달라졌다. 농담조로 "죽지 못해 살지요."라고 대답하던 호기는 정작 몸이 안 좋으니까 까맣게 잊어 버렸다. 어떻게 지내냐는 의례적인 질문에도 나는 "그저 그렇게 지내지 뭐."라고 대답할 여유가 없다. 아주 친한 사이가 아닌데도 내 입에선 "요즘 몸이 안 좋아요."라는 말이 저절로 나간다. 그토록 싫어했던 궁상맞은 늙은이가 따로 없다. 그런데 재미있게도 이렇게 궁상을 떨면 상대방 쪽에서도 대개는 지극한 위로 인사와 더불어 자기도 어디어디가 안 좋다고 역시 궁상맞게 털어놓는다.

자궁을 들어낸 여자들이 그처럼 많다는 것도 요즘 알았다. 어디가 아팠느냐는 질문에 내가 한껏 심각한 표정으로 자궁을 들어냈다고 하면 너무도 많은 여자들이 별것 아닌 걸로 혼자 엄살 떨고 있네 하는 투로 자기는 벌써 5년 전에, 10년 전에, 어떤 때는 20년 전에 들어냈다고 털어놓는다. 일생 병원 문턱에는 가보지도 않았을 성싶은, 마치 시고니 위버처럼 단단해 보이는 한 선배는 자기는 자궁은 물론 한쪽 유방도 떼어낸 지 오래라면서 "굉장히 아픈 줄 알고 걱정했는데 아무것도 아니네."라면서 짐짓 억울하다는 표정을 지으며 내 어깨를 쾅 두드렸다.

하긴 가까운 주위만 둘러봐도 90 넘은 시어머니, 70 넘은 시누이, 50대 초반의 내 둘째 동생과 큰조카, 40대 조카며느리 두 명 모두 빈궁마마들이다. 얼마 전에는 이제 갓 40줄에 오른 씩씩한 후배까지 자궁수술을 했다.

하지만 말로는 마치 맹장수술처럼 간단하게 이야기하지만 자궁이 문젯거리를 제공하기 시작하면서부터 결국엔 들어내기로 결정하기까지 여자들이 겪었을 육체적 심리적 고통은 그렇게 간단하지 않았을 것이다. 생명을 만들어 내는 자궁이 슬슬 말썽을 부리기 시작하더니 드디어는 여자들의 생명을 위협하는 병소로 변할 수 있다는 이 사실은 여자로 산다는 것의 지난함을 증명하는 수많은 증거들 중의 하나일 것이다.

자궁적출이 늘어나는 이유를 어떤 여성들은 남성중심적인 의료행태, 혹은 의술의 상업주의에서 찾기도 하지만 일반적으로는 공해 문제로 보기도 하고 요즘 여자들이 출산을 하지 않거나 출산 횟수가 줄어든 데서 오는 결과라고 설명하기도 한다. 아무튼 결혼을 하든 하지 않든, 아이를 낳든 낳지 않든 여자들은 항상 자궁에 신경을 쓰면서 살아야 한다. 내가 입원했을 때 그 병동의 최고령 환자는 90이 넘은 여성이었는데 역시 자궁에 문제가 생겨서 왔다는 말을 듣고 난 한참이나 벌린 입을 다물지 못했다.

그 다음 허리 때문에 고생하는 여자들도 부지기수다. 내 나름대로 진단하자면 허리병은 여성들의 대표적인 직업병이다. 여성의 가사노

동은 필연적으로 허리를 망칠 수밖에 없다. 또 허리병은 대개 출산 후 조리를 잘하지 못해서 악화된 경우가 많다. 출산 후에는 어느 기간 동안 무거운 걸 들거나 힘든 일을 하지 말아야 하는데 그렇게 호강하는 여자들이 과연 몇 명이나 될까. 아기가 깨어나서 울면 남편이 깰세라 얼른 일어나 안아 주어야 하고, 매일 아기 목욕시키는 일도 만만치 않은 중노동이다.

또 요즘은 젊은 부부간에는 남자들도 쇼핑을 분담하는 경우가 늘어나곤 있지만 중년 이상의 세대에게 장보기는 아무래도 여자들 차지다. 알뜰한 여자들은 아무리 무거운 거라도 한푼이라도 싸다면 불원천리 달려간다. 그렇게 수십 년을 보내다 보면 허리가 견뎌 낼 재간이 없다.

지하철에서 어디 빈자리가 없을까 호시탐탐 노리다가 쏜살같이 달려가 궁둥이를 들이미는 아줌마들은 뻔뻔한 여자들이 아니라 허리병이라는 직업병을 앓고 있는 주부들이다. 그들은 비록 아직 노년에 들어서진 않았지만 직업병에 시달리는 환자들이므로 노약자 대우를 해 주어야 함에도 불구하고 이 사회는 "역시 아줌마들은 할 수 없다니까."라며 한껏 비아냥거리기나 한다.

또한 세계적으로 공인받았다는 홧병은 한국 사회에서 살아가는 모든 며느리들의 공동질병구역이다. 시어머니와의 갈등은 결혼 10년차나 40년차나 별 차이가 없는 모양이다. 연령에 따라 표현의 강도만 조금 다를 뿐 고부 사이는 여전히 껄끄러운 긴장관계이다. 시어머니와의 관계 때문에 홧병이 생겼다는 신세대 여성들의 하소연을 듣고 있노라면 소위 여성학을 한다는 사람으로서 무력감이 들지 않을 수 없다. 같은 여성으로서의 연대감 운운은 여전히 구름 잡는 소리일 뿐인가.

예전에는 며느리들이 주로 앓았을 홧병을 요즘은 시어머니들도 앓는다는 게 변화라면 변화라고 하겠지만 그 시어머니들도 바로 어제의 며느리들이다.

어디 고부갈등만 홧병을 일으키나. 이혼율이 급격하게 높아지는 요즘에도 남편의 폭력, 외도, 도박 때문에 가슴을 쥐어뜯는 아내들이 숱하다.

두통이나 위통 역시 병에 포함시키지 않을 만큼 여자들 사이에 폭넓게 퍼져 있는가 하면 우울증이나 불면증에 시달리는 여자들도 꽤 많다. 첨단의술을 자랑한다는 이 대명천지에 이름 모를 병으로 늘 시름시름 앓는 여자들도 있다.

"이 시대에 어떻게 아프지 않을 수가 있느냐."

내 옆에는 전방위적으로 왕성하게 일하는 친구가 있다. 지칠 줄 모르고 새로운 일을 벌이는 그는 왜 이렇게 아픈 여자들이 많으냐는 내 질문에 오히려 이렇게 반문했다. 이 땅이, 이 시대가 여자들을 다 병들게 한다고 그는 명쾌하게 진단했다. 너는 아프지 않잖느냐고 묻자 그는 자기도 아프다고 했다. 쓰러져서 응급실로 실려 간 적도 있다고 했다. 그렇지만 일을 안 하면 자꾸 아픈 생각만 들기 때문에 계속 일을 벌인다고 했다.

그렇다. 아무리 생각해도 지금 여자들이 아픈 건 호르몬 때문만이 아니다. 비록 남자들보다 8년 정도 더 오래 산다고는 하지만 여자들은 죽을 때까지 거의 늘 아픈 몸으로 살아간다. 아무리 날개를 펴고 싶어도 그 공간이 마련되지 않는 세상에서 어떻게 여자들이 아프지 않을 수 있을까.

젊은 후배들이 아프다고 말하면 난 애써 호통을 치곤 한다. 젊은 사람들이 벌써부터 그렇게 아프면 어떻게 하느냐고. 아프지 말라고.

하지만 그들이 아플 수밖에 없는 이유를 나는 잘 알고 있다. 그들은 우리 세대보다 훨씬 큰 꿈을 꾸며 자란 세대이다. 때가 오면 훨훨 날아다닐 수 있도록 날 준비를 착실히 해 온 그들이지만 날개가 다 자라도 날 수 있는 공간은 좀체로 쉽게 주어지지 않는다. 겨드랑이가 근지러워서, 움츠린 날개가 갑갑해서 그들은 몸이 아프다. 간혹 운 좋게 날 수 있는 기회를 얻은 여자는 또 날개가 너무 무거워서 또는 날갯짓을 너무 자주 해야 하는 탓에 아프다.

그들보다 날개가 훨씬 작은 나도 이렇게 아픈데 하물며 그들은.

6장 자식을 손님처럼

2001, 9, 13
윤원서남

시어머니 프리미엄

큰애가 대학을 졸업할 무렵이 되니 나 같은 엉터리 엄마에게도
혼사를 묻는 사람들이 있었다. 원하는 며느리는 어떤 여성이냐 등등.
또는 당신은 아들을 셋씩이나 두었으니 밍크 코트
세 벌은 확보했다는 말도 들었다.

우리 나라 엄마들처럼 엄마 역할을 장기간 충실히 수행하는 나라도
드물지 않을까 싶다. 우리 나라 엄마들에게는 아무리 나이가 들어도
아이들을 '다 키웠다'고 자신 있게 말할 수 있는 때가 결코 오지 않는
다.

인생에서 가장 에너지가 넘치는 시기에 정신적 물질적으로 총력전
을 벌여 아이들을 대학에 들여보내는 것만으로 엄마 역할이 끝나지 않
는다. 대학을 졸업하면 취직 문제로 엄마가 다 큰 자식들과 함께 머리
를 싸매는가 하면 요행히 취직을 한 다음에는 곧장 결혼 문제에 매달

리게 된다.

도대체 요즘 아이들은 왜 그리 집을 떠나려고 하지 않는지 결혼 이야기만 나오면 듣는 척도 안 한다고들 답답해하는 엄마들이 점점 늘어나고 있다. 답답해하다 못해 자식들을 대신해서 결혼정보회사에 등록을 하는 엄마도 낯설지 않다. 어떤 엄마들은 아들딸의 사진을 품속에 넣고 다니다가 그럴싸한 상대를 만나면 안면몰수하고 사진을 보여 주면서 중매를 부탁한다. 그동안에는 지지부진했던 여고동창회도 이즈음엔 단연 활기를 띤다. 그러니 아이들이 연애를 해서 짝을 데려오면 그것만으로도 효자라고들 입을 모으는가 하면 한편에서는 전혀 엉뚱한 짝을 데려오면 그것처럼 골치 아픈 일도 없다고들 한숨을 쉰다.

결혼이 결정되면 이번에는 혼수 문제로 한바탕 법석들을 떤다. 아들 둔 엄마나 딸을 둔 엄마나 자기들에게 주어진 역할이라고 생각하는 것만큼 참들 다 열심히 임무를 수행하는 걸 보면 감탄스러울 때가 많다. 한국 사회에서 시어머니나 친정 어머니가 되기 위해선 최소한 어느만큼의 역할은 해야 한다는 기준을 세워 놓고 어쩌면 그리도 잘 따라 하는지. 법으로 정해 놓은 의무는 어디에도 없건만 엄마들은 타고난 모범생들처럼 엄마 역할을 잘 해낸다.

하지만 어찌 어찌 결혼을 시킨 후에도 3년 동안은 마음을 놓을 수 없다고 한다. 3년 이내의 이혼율이 제일 높기 때문에 자식들의 결혼상태에 항상 노심초사하게 된다는 것이다. 자칫하다가는 손자까지 떠맡는 불상사가 일어날 수도 있는 법. 자식들의 결혼은 곧 나의 미래와 직결되기 때문에 방심할 수 없다는 것이다. 이러니 엄마 역할에서 퇴직

하는 때는 곧 무덤에 들어가는 때라는 말이 나올밖에.

아무튼 큰애가 대학을 졸업할 무렵이 되니 나 같은 엉터리 엄마에게
도 결혼 이야기를 물어 오는 사람들이 있었다. 언제 결혼시킬 거냐. 네
가 원하는 며느리는 어떤 여성상이냐 등등. 또는 당신은 아들을 셋씩
이나 두었으니 밍크 코트를 세 벌은 확보했다는 등.

아이들은 믿는 만큼 자란다며 팽개쳐 기른 엄마가 무슨 마음으로 결
혼 문제에서만은 열심히 엄마 노릇을 하겠는가. 우선 나는 아이들을
결혼 '시킨다'는 말 자체가 영 마뜩지 않았다. 조선시대면 몰라도 지금
이 어느 시댄데 결혼을 시켜서 하느냐 말이다.

그렇게 엄마라는 사람이 방관하고 있다가는 혼기를 놓칠 수가 있다
는 충고도 적잖이 들었다. 하지만 도대체 혼기라는 게 몇 살부터 몇 살
까지냐는 게 내 의문이다. 그보다 더 기본적으로는 결혼을 꼭 해야 한
다는 생각 자체부터 수긍할 수 없는 게 내 솔직한 심정이다. 당신은 결
혼을 해서 애까지 낳아 보고 그런 말을 하면 어떻게 하느냐고 못마땅
해하는 사람도 있지만 내가 결혼을 해 봤기 때문에 결혼을 안 해도 괜
찮다는 생각이 드는 거다.

어떤 이들은 결혼이라는 게 여성에게는 구속으로 여겨질 수도 있지
만 남성은 다르지 않느냐고 반문한다. 남성은 결혼을 안 하면 불편해
서 못산다는 게 정설인 세상이니까. 그러나 남성들은 대부분 구속을
구속으로 느끼지 못하는 불감증 환자들일 뿐이다.

그렇다고 내가 아들에게 결혼하지 말라고 앞질러서 조언하는 엄마
라는 이야기는 아니다. 결혼은 본인이 하고 싶으면 하는 거지 아무리

엄마라도 다른 사람이 끼어들어 하라 말아라 할 사항이 아니라는 뜻이다.

큰애는 대학시절부터 꾸준히 사귀어 온 여자친구가 있었다. 내가 참여하는 모임의 대학생 멤버에 속했기 때문에 나도 아는 얼굴이었다. 가끔 전화통화를 하는 모습을 보면 그냥 남자친구들하고 말하는 것과 똑같이 보여 구세대식 연애를 했던 나로서는 조금은 헷갈리기도 했다. 쟤네들 정말 사귀는 건가?

언젠가 너 언제 결혼할 거냐고 물으니 큰애 왈, 결혼하면 귀찮은 일이 많을 것 같아 못하겠다고 했다. 뭐가 그렇게 귀찮을지 예를 들어 보라고 하니까, 부모님 생일 챙기는 것만 해도 귀찮은데 결혼하면 장인 장모 생일까지 챙겨야 하지 않느냐고 아주 간단명료하게 설명했다. 그때의 내 대답도 간단했다. 그건 그래.

그러던 큰애가 여름이 시작된 어느 날 11월 말쯤에 결혼하겠으니 좀 도와 달라고 청해 왔다. 병역 대신에 3년여 동안 산업체 근무를 한 덕에 꽤 돈을 모았는데 그 돈으로 내년 여름 미국유학을 가고 싶고 그전에 결혼식을 올리겠다는 얘기였다.

일단 반갑게 들리긴 했지만 내가 해야 할 일을 떠올리니 골치가 아팠다. 무엇보다 떠나기 전까지 일곱 달쯤 살 집을 구하는 일이 만만치 않게 여겨졌다. 그렇다고 우리 집에서 함께 산다는 건 더 땀나는 노릇이었다.

어차피 떠날 건데 번거롭게 결혼식 따위 뭣 하러 하느냐고 슬쩍 딴지를 걸어 봤다. 큰애는 "딸 가진 부모 마음은 그게 아니다."라며 은근히 나를 꼬집었다. 과연 그럴까. 만약 큰애가 딸이었더라도 내 생각은 마찬가지였을 터이지만 '딸 없는 죄' 때문에 입을 다물고 말았다.

대신 결혼식 준비에 있어서만은 시어머니 프리미엄을 마음껏 누리기로 작정했다. 그동안의 경험에 따르자면 혼수 문제를 토론하는 자리에서 결론은 항상 하나로 모아진다. 즉 시어머니가 변해야 우리 사회의 결혼문화가 바뀌어진다는 거다. 그렇지만 지금 시어머니 세대들은 절대로 바뀔 수 없기 때문에 결국 한 세대는 지나야 한다는 의견이 압도적이다. 딸 가진 부모들, 그리고 결혼을 앞둔 젊은이들 모두 한편이 되어 아들 가진 부모들, 그중에서도 시어머니 자리의 탐욕에 고개를 절레절레 흔든다.

나는 딸 가진 부모들의 원망과 분노에 대해서는 일단 어느 정도 이해하는 편이다. 가까운 주위에서만도 혼수 문제로 가슴앓이를 했던 경우가 허다하기 때문이다. 하지만 난 젊은이들의 자세에 대해서는 커다란 실망을 느낀다.

다른 일들에 대해서는 똑 부러지게 자기 주장을 하는 듯 보이는 젊은이들이 왜 결혼의 형식에 대해서만은 거의 한결같이 딴판으로 나오는지 모르겠다. 왜 정작 자기들 인생의 본격적인 출발점에서만은 '그저 부모님 처분에 맡기겠습니다.'는 식으로 꼬리를 빼는가 말이다.

막상 결혼생활에 들어가려니까 그동안 감추어 두었던 효심이 용솟음쳐서 그런가. 그보다는 대부분 경제적 자립이 불가능한 상태에서 결혼을 감행하니까 여러 가지로 꿀려서 그러겠지. 이 기회에 가능한 한 부모로부터 많은 걸 뜯어내려는 깊은 뜻도 있겠고.

아무튼 한국에서 결혼문화에 있어서만큼은 시어머니가 칼자루를 쥐었다니까 이왕 쥔 칼 내 마음대로 휘둘러 봐야겠다는 야심 찬 포부를 품고 상견례 자리에 나갔다. 예단도 받지 않고 함도 주지 않겠다고 단호한 어조로 말을 꺼내면서 얼마 전 친구로부터 들은 이야기가 떠올랐다. 최근에 아들을 결혼시킨 시어머니가 친구들에게 털어놓기를, 며느리가 혹시 혼수를 너무 많이 해 올까 봐 아무것도 해오지 말라고 했더니 정말 아무것도 안 해 와서 얼마나 섭섭했는지 모르겠다며 속상해하더란다. 나 또한 그런 이중성을 숨기고 있을지 모르잖는가. 하지만 아무리 내 속을 헤집어 봐도 결론은 똑같았다.

첫인상에도 빈틈없는 주부경력이 드러나는, 환한 얼굴의 동갑내기 사돈댁은 내 의견에 일단 동의했다. 하지만 이내 조심스럽게 다른 사람은 몰라도 할머니 두 분에게만은 예단을 드려야 도리가 아니냐며 반문했다. 나는 두 분 모두 병석에 계시고 돌아가실 때가 얼마 남지 않으셨기 때문에 예단을 받아 봤자 짐만 될 뿐이라고 못을 박았다.

시어머니 칼자루를 휘두르는 김에 난 잘난 척하고 평소의 과격한(?) 결혼관까지 서슴없이 털어놓았다. 나는 결혼에 대해서 흔히들 말하듯이 결혼이 집안과 집안의 결합이라고 생각하지 않는다. 결혼은 어디까지나 개인과 개인의 결합이라고 생각한다. 자식들이 저희들끼리 뜻이 맞아서 결혼을 하게 되었으니 우리는 단지 그들의 부모라는 입장에서 함께 기뻐하고 축하해 주면 됐지 그 외의 형식들이 무슨 의미가 있겠느냐고.

사돈댁은 함에 대해서만은 쉽게 미련을 버리지 못하는 것처럼 보였다. 자신도 허례허식은 싫어하지만 그래도 신랑이 함을 갖고 와야 신부집 어른들에게 인사를 드리는 기회가 되지 않느냐, 전통이 무조건 나쁜 건 아니지 않느냐며 나를 설득하려고 애썼다. 함도 못 받고 딸을 시집보낸다는 사실이 생각할수록 섭섭한 모양이었다.

그러나 사위의 인사를 받으려면 정식으로 받는 것이 좋지 않느냐, 결혼식 날 폐백을 양쪽 집이 똑같이 받자는 나의 제안은 그 섭섭함을 어느 정도 달래 주었다.

이후 몇 번 더 만나는 동안 나는 내가 오히려 너무 부담스런 시어머니일지도 모르겠다는 기분 때문에 마음이 흔들리기도 했다. 최소한의 것조차 막무가내로 하지 못하게 하는 별난 사돈을 만나서 혼란스러워하는 사돈댁에게 미안했다. 하지만 미안하다고 해서 조금씩 물러서면 결국 내가 평소 그토록 못마땅하게 여겼던 혼수문화를 나 역시 고대로 되풀이하게 될 것이 뻔했다. 그저 사돈댁은 딸이 세 명이나 남았으니 앞으로 나하고 정반대의 시어머니를 만날지도 모른다, 그때 해 주고 싶은 만큼 많이 해 주시라고 능쳐야 했다. 마음 한편으로는 시어머니 프리미엄을 누리는 일도 만만한 일이 아니구나 싶었다.

이제 결혼식만 남았다. 그런데 이게 웬일. 여기 마지막 복병이 숨어 있을 줄이야. 결혼식 규모에 있어서만은 시어머니 프리미엄도 별수 없었다. 내 원래 생각은 최소한의 손님을 초대해서 아주 조촐한 분위기에서 결혼식을 치르는 거였다. 그러나 그 '최소한'이라는 기준은 얼마나 상대적인 것인가. 강제로 하객 수를 정하지 않는 한 양쪽 집에서 생각하는 가족이나 친지의 최소한의 수는 얼마든지 차이가 날 수 있는 법. 그런데 아무리 시어머니라고 해도 사돈댁의 손님 수까지 마음대로 줄이라고 할 수는 없잖은가. 청첩장을 찍는 순간 조촐한 분위기는 이미 물 건너가고 말았다.

떠나보내기

드디어 엄마 노릇 하기에서 졸업했다고 좋아하는 나를 보고
한 선배가 혀를 찼다. 엄마 노릇 하기보다 더 어려운 시어머니
노릇이 기다리고 있는데 물색없이 좋아한다고,
참 몰라도 너무 모른다는 거였다.

어릴 적엔 나도 나중에 어른이 되면 산다는 일에 점점 익숙해져서
만사에 흔들림이 없을 거라고 기대했다. 정확한 의미는 잘 몰랐지만
'마흔이면 불혹' 이란 말도 자주 들었기 때문에 최소한 마흔 살만 넘기
면 흥분할 일도 없고 마음 불편할 일도 없겠지 생각했다. 2, 30대의 혼
란 속에서도 앞날에 대해 그닥 불안을 느끼지 않고 아이를 셋씩이나
낳은 것도 그런 믿음이 있었기 때문이었다.

다양한 지식과 풍부한 경험을 바탕으로 내공을 쌓아 가다 보면 어느
시점부터는 무슨 일이 닥쳐도 다 그러려니 하고 너그럽게 넘길 수 있

고 아무리 곤란한 일에 부딪혀도 가볍게 해치울 수 있을 것 같았다. 시시한 감상 나부랭이 때문에 공연히 가슴을 앓을 일도 없고 입가에는 늘 여유로운 미소를 지닌 채 품위 있게 여생을 보내는 모습이 내가 그린 어른상이었다.

하지만 모든 기대는 으레 이루어지지 않는 것처럼 인생의 고수가 될 수 있으리라는 꿈 역시 나하고는 아무런 상관이 없었다. 마흔 살은커녕 쉰 살이 넘어도 산다는 일은 항상 낯설기만 했다. 일상처럼 겪는 일조차 매번 처음 겪는 일처럼 생소할 때가 많고 한 번 속이 상했던 일은 그 다음에도 또 속이 상했다.

그러면서도 '내 인생은 내 꺼'라는 어린 시절의 고집 하나만은 시퍼렇게 살아서 남에게 도움을 받으려는 노력은 아예 제쳐 놓고 남들 가는 길은 쳐다보려고도 안 하고 살았다. 아주 좋게 봐주면 소신파요, 나쁘게 보면 잘난 척, 정확하게 말하면 미련퉁이처럼 살아서 여기까지 왔다.

이렇게 매사에 서툴기 짝이 없고 미련한 어른을 엄마로 둔 아이들은 정말 얼마나 살기 어려울까 싶어서 문득문득 미안하다는 생각이 들 때도 많았다. 그렇지만 '훌륭한 어머니'에 대한 글을 읽어 보면 나로선 따라 하는 시늉조차 내기 어려운 내용들이었다. 그래서 열심히 자신을 고치려고 애쓰는 대신 이런 엄마를 둔 것도 너희들 팔자라고 얼렁뚱땅 넘겨 버리는 쪽을 택했다.

영원한 초보 같은 이런 엄마 밑에서도 아이들이 별 탈 없이 자라 준 게 난 항상 신기하게 여겨진다. '별 탈 없이'라니. 이건 겸손한 표현이 아니라 오만의 극치이다. 아이들은 정말 훌륭하게 잘 자라 주었다. 엄마를 믿을 수 없으니까 아이들이 저 혼자 크더라는 내용으로 책을 썼더니 어떤 사람들은 만약 그 집 엄마가 조금만이라도 아이들을 튕겨 주었으면 아이들이 '더' 잘되었을 거라며 나를 비난하기도 했다. '더'라니. 난 내가 아이들에게 좋은 엄마가 아니라는 데는 적극 동의하지만 그래서 우리 아이들이 '더' 잘되지 못했다는 데는 정말 화가 난다.

큰애로부터 결혼통고를 받았을 때 나를 사로잡은 느낌은 굉장히 낯선 것이었다. 사실 혹시 있을지 모를 이런 경우에 대비해서 준비된 나의 기분은 흐뭇함이라든가 섭섭함 같은 것이었다. 그런데 정작 내게 닥친 기분은 한마디로, 아이고, 이렇게 떠나보낼 줄 알았으면 좀 잘해 줄 걸 하는 아쉬움 비슷한 것이었다.

아주 오래전 나는 만약 내가 아이를 낳게 되면 무엇보다 아이에게 영감을 불어넣어 주는 엄마가 되었으면 좋겠다고 막연히 꿈꾸었었다. 물론 현실의 육아전쟁에서 그 꿈은 기억에서조차 사라지고 말았지만.

아이들이 스스로 다 크고 난 다음에야 오래전의 꿈이 문득 떠오르면서 나는 생물학적 나이와 인간적 성숙에는 아무런 상관관계가 없음을 재확인했다. 아이들이 대견하게 보일수록 나는 자신의 미숙한 엄마 노릇이 더 미안하게 여겨졌다. 몸이 약해진 이후 일을 대폭 줄이면서 시간의 여유도 생겼으므로 이제부턴 그럴싸하게 엄마 노릇을 해 줄 수도 있을 것 같았다. 이런 야심 찬 계획을 세우는 와중에 결혼을 해서 엄마를 떠나가겠다니 얼마나 아쉬운 노릇인가.

아쉬움의 한편으로는 솔직히 켕기는 구석도 있었다. 공부는 열심히

하지 않은 학생이 성적은 괜찮게 나오기를 원하는 것과 똑같은 심정이었다. 도대체 나는 저 아이에게 어떤 엄마였던가. 저 아이는 나를 어떤 엄마라고 기억할까. 언제나 엉터리 엄마, 서툰 엄마로 기억할 거야. 그 기억 속의 이미지를 지금이라도 바꿀 수는 없을까.

말 그대로 정말 훌륭한 엄마가 되기로 작정했다면 이런 얄팍한 심정을 꾹꾹 눌러 속에 담아 두고 혼자 되새김질해야 했다. 하지만 도저히 구제 불가능한 엉터리 엄마는 촉새처럼 아이에게 속을 드러내고 만다. 목소리는 최대한 낮게 깔면서, 그리고 표정은 최대한 숙연하게 만들면서.

"얘, 이렇게 빨리 떠날 줄 알았으면 좀 잘해 줄 걸 그랬지. 엄마는 왜 너한테 그저 미안하다는 생각밖에 안 드는지 모르겠어."

그런데 말이다. 늙고 지친 엄마가 이렇게 말하면 자식은 어떻게 나와야 할까.

"아니, 어머니, 무슨 말씀을 그렇게 하십니까. 어머니가 저에게 얼마나 잘해 주셨는데요. 그 이상 어떻게 더 잘해 주실 수 있습니까."

당연히 이렇게 나와야 하는 게 아닌가.

하지만 내가 들은 대답은 이랬다.

"아, 그러세요? 그럼 앞으로는 잘해 주시면 되잖아요. 앞으로도 기회는 얼마든지 있으니까요."

엄마가 아무리 연기를 해 봤자 속지 않는다는 듯 큰애는 능청스럽게 받아넘겼다. 그 애는 이미 나의 설레발 뒤에 숨어 있는 나의 진짜 속마음을 간파해 낸 것이다.

큰애의 반응을 보면서 나는 결혼통고를 듣자마자 내가 가장 크게 느낀 감정이 아쉬움이나 미안함이 아니라는 사실을 인정하지 않을 수 없었다. 고백하건대 아쉬움이나 미안함보다 더 큰 건 일종의 해방감 같은 것이었다. 이제 한 아이에게만이라도 더 이상 서툰 엄마 노릇을 안 해도 된다는 건 정말이지 꽤 괜찮은 기분이었다.

큰애는 자신이 결혼통고를 하는 순간 섭섭하게 여기기는커녕 그 즉시 아들의 떠남을 기정사실로 받아들이는 엄마에게서 야속함을 느꼈나 보다. 자기는 결혼하겠다고 말했지 떠난다고 말하지 않았잖은가. 그런데 이 엄마는 마치 오래전부터 준비라도 해 온 것처럼 아들을 떠나보내려고 한다. 겉으로는 미안하니 어쩌니 숙연한 척하지만 속으로는 시원해하고 있다. 정말 대책 없는 엄마군.

사실 이미 둘째가 먼저 집을 떠났지만 그 애는 따로 살아도 아직은 나를 완전히 떠났다는 기분이 들지 않는다. 결혼을 하지 않았기 때문이다. 그 애는 마음 내키면 언제든지 집으로 돌아올 수 있다. 자기 방은 없어졌지만 아무 데서나 자리 펴고 잘 수 있다. 때문에 나는 그애에게 아무것도 안 해 주면서도 그 애의 엄마라는 자리를 벗어나지 못하는 느낌이다. 아직도 우리 사회에서는 결혼하지 않은 사람을 영원히 미성년자 취급을 하는데 나 역시 그 틀에 갇혀 있다. 결혼을 안 해도 괜찮다면서 결혼 안 한 자식은 아이로 본다. 한심한 일이지만 나도 어쩔 수 없다.

드디어 엄마 노릇 하기에서 졸업했다고 좋아하는 나를 보고 한 선배가 혀를 찼다. 엄마 노릇 하기보다 더 어려운 시어머니 노릇이 기다리고 있는데 물색없이 좋아한다고, 참 몰라도 너무 모른다는 거였다.

'사랑받는 시어머니'가 되려면 김치를 담가서 며느리가 사는 아파트 경비실에 맡겨 놓고 와야 한다는 이야기는 나도 오래전에 들은 적이 있다. 행여 집까지 올라갈 생각은 절대 하지 말 것이며 미리 갖다 주겠다는 전화도 하지 말고 그냥 말없이 맡겨 놓고 돌아와서 전화를 해야 한다고들 한다.

"그렇게 며느리 심기 살피면서 구차하게 김치는 왜 갖다 주는데?"라고 묻자 "며느리가 이뻐서 주냐. 아들 김치 못 먹을까 봐 갖다 주는 거지." 별 걸 다 묻는다는 표정들이었다.

일단 내 곁을 떠난 다음에는 김치를 못 먹든 된장찌개를 못 먹든 내가 상관할 일이 아닐 텐데 이렇게 걱정들이 많다. 그러고 보면 시어머니 노릇이라는 게 따로 있는 게 아니다. 시어머니 노릇은 엄마 노릇의 연장일 뿐이다. 평생 훌륭한 엄마 노릇에 익숙해진 엄마들은 그 역할로부터의 졸업이 영 탐탁지 않은 것 같다. 그들은 자발적으로 유급을 선택한다. 하지만 난 졸업이 좋다.

서툰 엄마 노릇은 더 이상 안 할란다.

며느리가 어떠세요

시어머니들이 요즘 젊은 여자 애들은 자기밖에 모르는 것들이라
어른에 대한 배려가 전혀 없다고 불만스러워하는 것과 똑같이
젊은이들은 요즘 시어머니들이 너무 자기중심적이라
젊은이들에 대한 배려를 할 줄 모른다고 비난한다.

"며느리는 어디까지나 며느리이더라고. 지나치게 잘 지내려고 애쓸
것 없어. 공연히 마음만 다치게 되니까."

어느 모로 봐도 환상적인 시어머니 노릇을 해내는 것처럼 보이던 친
구가 아들 결혼 소식을 알리는 내게 조심스럽게 해 준 충고였다. 정말
의외였다. 무슨 일을 갖고 저럴까 하는 궁금증이 일었지만 평소에도
언행이 신중한 사람인데 깊은 생각 끝에 해 준 충고다 싶어 일단 유념
해 두기로 했다.

그보다 몇 년 전에 아들을 결혼시켰던 한 선배는 "그래, 며느리를 보

시니까 어떠세요."라는 나의 의례적인 인사에 즉각 냉소적인 반응을
보여 나를 놀래킨 적이 있었다.

"요즘 여자 애들한테 정말 질렸어. 난 걔에 대해서는 아예 제쳐 놓기
로 했어."

며느리라는 말만 들어도 기분이 불쾌해진다는 투였다.

또 다른 선배는 완전히 도통한 듯한 어조로 며느리가 탐탁하지 않은
기분을 이렇게 돌려 말했다.

"내 아들이 모자라니 어떡하겠어."

이 시어머니들은 평소 남의 험담 따위는 한마디도 입에 올리지 않는
보기 드문 인품의 소유자들이다. 내가 존경하던 그들의 입에서 낮은
한숨 소리와 함께 비어져 나오는 며느리 험담을 듣고 있자니 아무리
시대가 달라져도 고부관계는 여전히 만만치 않구나 싶어서 마음이 착
잡해졌다.

유일하게 며느리에 대해 꽤 좋은 감정을 표현한 경우도 있긴 있었
다. 그런데 우연인지 필연인지 그의 아들은 결혼하자마자 외국으로 나
갔기 때문에 고부간에 만날 시간을 아예 봉쇄당한 셈이었다.

며느리한테 너무 기대가 커서 실망도 큰 게 아니겠느냐, 눈높이를
낮추라고 반은 위로 반은 충고를 할라치면 그들은 한결같이 고개를 젓
는다. 요즘 어떤 간 큰 시어머니가 며느리한테 큰 기대를 거냐, 그냥
인간으로서 최소한의 기본만 해 주면 되는데 그것도 못하니까 문제라
며 이구동성이다.

하지만 시어머니들이 '기본'이라고 생각하는 것들이 그 며느리들에

164

게는 거의 '미션 임파서블'이라는 사실을 내 또래들은 잘 모른다. 나는 마흔 살이 다 되어서 다시 학교를 다닌 경험이 있는데 그때 함께 공부한 학우들은 나보다 15년 정도 어린 여성들이었다. 난 처음 얼마 동안 그들의 '싸가지 없음'에 경악할 수밖에 없었는데 한 6개월쯤 지나니까 그들이 유난히 싸가지 없는 게 아니라 그 또래의 일반적 경향이라는 걸 알 수 있었다. 단적인 예로 그들은 자기보다 나이가 많다고 해서 표현의 수위를 조절하지 않는다.

'생각이 곧장 말로 나오는' 젊은 세대와 함께해야 했던 이 시기의 단련을 통해서 나는 그 후 웬만큼 싸가지 없는 젊은이들은 마음 상하지 않고 오히려 귀엽게 봐줄 수 있는 능력을 얻었다. 여기에는 어렸을 때부터 곧잘 '당돌하다'는 말을 들어 왔던 나의 과거에 대한 반성도 함께 맞물려 들어갔음을 고백한다.

약간은 특별한 이력을 가진 덕분에 나는 요즘도 30대에서 40대 초반에 이르는 젊은 여성들을 만날 기회가 많은 편이다. 그들은 사회에 대한 관심도 넓고 자신과 다른 사람들에 대해서도 비교적 마음이 열려 있는 여성들이다. 그런데 그들의 입에서 거침없이 쏟아져 나오는 시어머니 험담은 때로 너무 수위가 높아서 웬만한 말에는 면역이 된 나로서도 기가 질릴 정도이다.

시어머니들이 요즘 젊은 여자 애들은 자기밖에 모르는 것들이라 어른에 대한 배려가 전혀 없다고 불만스러워하는 것과 똑같이 젊은이들은 요즘 시어머니들이 너무 자기중심적이라 젊은이들에 대한 배려를 할 줄 모른다고 비난한다.

옛날 시어머니들이 원색적으로 나왔던 것과 달리 요즘 시어머니들은 약간 세련되게 포장이 되긴 했지만 시어머니의 본질은 변하지 않았다는 게 젊은이들의 한결같은 불만이다. 무조건 대접받기를 원하고, 아들에게 계속 엄마 노릇을 하고 싶어하며, 며느리를 독립된 인격체로 존중하지 않는다는 것이다. 어떤 시어머니는 며느리가 하루라도 문안 전화를 하지 않으면 아들 직장에 전화를 걸어 불같이 화를 내기 때문에 그로 인한 부부싸움이 가라앉을 날이 없다는 경우도 있었다.

아예 '못된 며느리'가 되기로 선언한 여성들도 꽤 많았다. 하지만 못된 며느리가 되면 몸은 어느 정도 편할지 몰라도 시어머니로부터 받는 스트레스까지 피할 수는 없나 보았다.

"'시'자 붙은 사람들은 할 수 없어."

아직 시어머니라는 자리가 위풍당당하던 시절 우리 또래가 한숨을 쉬며 내렸던 이 결론이 30년 후에도 계속 리바이벌 되는 이 현실에 정말 입맛이 쓰다.

정말 내가 듣기에도 이해가 되지 않을 정도로 고루한 시어머니들이 존재하는 것도 사실이지만 젊은 여성들이 느끼는 불만 중 상당 부분 역시 고부관계에서 오는 문제가 아니라 세대차이에서 비롯되는 것들이었다. 요즘 젊은 며느리들은 시어머니가 손자에게 갖는 애정과 관심까지 사생활 침해로 받아들이는 경우가 많은 반면 손자를 보고 있으면 '뼈가 녹는 느낌'이라고 말하는 시어머니도 드물지 않다. 사정이 이러하니 시어머니나 며느리나 서로 자기중심적이라고 비난하는 건 당연한 귀결이다.

분명 시어머니도 많이 달라진 건 사실이다. 그렇지만 며느리의 변화 속도는 한결 빠르다. 비관적인 전망이지만 세대 간의 차이가 존재하는 한 고부갈등은 영원히 지속될 수밖에 없는 게 아닐까.

여성학을 하는 시어머니는 며느리와 어떻게 지낼까 하고 주위에서 관심을 보이는 이들이 많다. 강의를 듣던 대학생들로부터 느닷없이 어떤 며느리를 원하느냐는 질문을 받기도 했다. 솔직히 난 며느리를 본다는 말 자체가 생소하게 여겨지는 사람이다. 아들이 결혼을 하는 거지 내가 무슨 며느리를 본다고 그래. 하지만 '이상적인 며느리상'에 대한 답변을 강요당하는 경우가 반복되다 보니 나름대로 정답안을 만들어 놓게끔 되었다. 내가 원하는 며느리는? '시어머니 살림 못한다고 흉 안 보는 여성'이다. 하지만 흉봐도 할 수 없지 뭐.

내가 어떤 시어머니 노릇을 할지에 대해서도 애초부터 그림이 그려지지 않았다. 다만 아들들과 살아 본 경험에 따르자면 최상의 고부관계 역시 덤덤한 관계가 아닐까 하는 밑그림 정도만 가지고 있었다.

그리고 그 점에 관한 한 나는 자신만만했다. 아들들하고도 별로 힘들이지 않고 덤덤하게 잘 지내 왔는데 며느리하고도 뭐가 그리 어려울라고. 표현력에 있어서만큼은 천하무적인 아들들과 산전수전 다 겪어 본 터라 며느리 때문에 마음 상해할 일은 없을 것 같았다.

그럼에도 불구하고 결혼식 날이 가까워 오면서는 은근히 걱정스럽기도 했다. 혹시 며느리가 영 마음에 안 드는데도 여성학을 하는 시어머니라는 체면 때문에 억지로 마음에 드는 척하는 불상사가 일어나면 어쩌나 하는 걱정이었다. 그러면 덤덤하게 지내기는 불가능할 수도 있다. 나보다 훨씬 마음 좋고 교양 있는 선배들도 며느리가 못마땅해서 끌탕을 치는데 나라고 별수 있을까.

최근에 와서는 '나는 나다.' 라는 자신감 대신 '남에게 일어날 수 있는 일은 나에게도 일어난다.' 는 쪽으로 생각이 바뀌었기 때문에 어떤 일에나 장담을 할 수 없는 형편이었다.

드디어 며느리를 보았다. 그런데 참 이상도 하지. 못마땅할지도 모른다는 걱정은 말대로 기우에 지나지 않았다. 오히려 그냥 처음 밑그림대로 덤덤하게 보려고 애써도 자꾸만 예쁘게 보이는 거다.

무엇보다 친정 부모에게 최소한의 신세도 지지 않으려는 독립적인 자세가 아주 마음에 들었다. 친정 부모가 오히려 섭섭해 할 정도였다. 인터넷을 뒤져 중고 가전제품을 고르는 알뜰함도 나를 놀라게 했다. 내숭도 교만도 없는 당당한 태도는 평소 내가 젊은이들에게 바라던 것이었다.

이런 짝을 찾은 큰애가 다시 보였다. 녀석, 평소엔 어리버리해 보이더니 결정적인 순간엔 똑똑해지나 보군. 장가 한번 기 차게 간 거 진심으로 축하한다.

며느리는 시어머니를 어떻게 생각하냐고?

그걸 왜 내게 물어?

시집과 친정

나는 자존심이 상했다. 그래, 이 집안이 이렇게 폼 잡는 집안이었어,
나를 욕하면 욕했지 왜 우리 친정 어머니까지 들먹이는 거야. 좋아,
그렇게 원하면 옥색 치마저고리 입어 주지,
라는 오기가 발동했다.

난 스물다섯 살에 결혼했다. 아이들 말대로 어떻게 그렇게 '어린 나
이에 겁도 없이' 결혼이란 걸 했는지 지금은 나로서도 불가사의한 일
이지만 당시에는 그게 성급한 결정이라곤 꿈에도 생각하지 못했다. 대
학을 졸업하고 직장생활도 2년쯤 지나다 보니 산다는 게 뭐 별 거 아
닌 것 같은 생각이 들면서 연애하는 남자랑 '그냥 결혼이나 해서' 남
사는 대로 사는 게 장땡이다 싶었다. 내 방도 따로 없는 좁디좁은 집에
서 여섯 남매가 오글오글 지내는 데서 해방되고 싶다는 마음도 들었고
데이트 하다가 통금시간에 쫓겨 피 말리는 귀가전쟁을 치르는 것도 지

겨워졌었다.

'결혼은 연애의 무덤'이니 뭐니 하는 말이 나에게만은 해당되지 않으리라는 터무니없는 오기는 터무니없이 빨리 무너졌다. 나는 결혼에 대해서 두 가지 결정적인 정보를 놓쳤었다. 하나는 결혼에는 돈이 필요하다는 것, 그리고 둘째로는 결혼을 하면 상대방만이 아니라 그 집안이 따라온다는 것. 그러고 보니 만사를 꿰뚫고 산다는 듯 잘난 척했던 난 결혼에 대해서 아무것도 모르는 채 결혼을 감행한 셈이었다.

돈을 모르기로는 나보다 한 수 위였던 남편과 노상 돈전쟁을 치르느라 신혼생활은 달콤함과는 거리가 멀었다. 하지만 돈보다 더 힘들었던 건 새로운 인간관계였다. 그렇다고 내가 고초 당초보다 매운 시집살이를 했다고 하소연하는 건 아니다. 객관적으로 보았을 때 나의 시집은 겉으로는 매우 전통적인 인상을 풍겼지만 실제로는 상당히 합리적인 집안이었으며 식구들도 상당한 인품의 소유자들이었다. 문제는 내가 유난히 자유로운 집안에서 성장했으며 개인주의적 성향이 강한 며느리라는 데 있었다.

내가 결혼을 한 것이 아니라 시집을 왔다는 생각이 들게끔 만든 계기는 결혼한 지 한 달도 안 되어 일어났다. 시어머니 회갑연 전날이었다. 시집 부근에 방 한 칸을 얻어 살던 우리 부부는 각자 퇴근 후 시집을 방문했다. 누군가가 내게 회갑연에 입을 옷을 준비했느냐고 묻길래 나는 별 생각 없이 출근 때 입는 옷을 입겠노라고 대답했다. 여기서부터 사건이 벌어졌다. 새 며느리가 평상복을 입으면 어떻게 하느냐는 반론이 제기되었고 나는 그렇다면 나의 유일한 한복인 신부 한복(녹색

저고리 다홍치마)을 입겠다고 했다. 그러자 며느리들은 원래 시어머니 회갑연에 옥색 한복을 입게 되어 있는 것이라는 유권해석이 따랐고 나는 졸지에 '본데없는' 며느리로 추락했다. 더구나 그럴 줄 알고 함에 옥색 한복감을 넣어 주었는데 친정 어머니가 그것도 몰랐느냐는 연좌제성 추궁까지 나왔다. 시나리오가 이렇게 진행되기까지에는 지방에서 올라온, 고모뻘 된다는 어떤 아주머니의 강력한 문제제기가 큰 영향력을 끼쳤다.

나는 자존심이 상했다. 그래, 이 집안이 이렇게 폼 잡는 집안이었어, 나를 욕하면 욕했지 왜 우리 친정 어머니까지 들먹이는 거야. 좋아, 그렇게 원하면 옥색 치마저고리 입어 주지, 라는 오기가 발동한 나는 통금시간이 임박한 그 밤에 장롱을 뒤져 옥색 한복감을 찾아 들고 택시를 잡았다. 거의 패닉 상태가 된 내가 눈물을 펑펑 쏟으면서 친정 어머니에게 자초지종을 읊어대자 워낙 낙천적인 친정 어머닌 흥분도 하지 않고 어, 그랬니 하는 얼굴로 한복집 문을 두드렸다. 그리고 이튿날 아침에 밤새 지은 한복을 찾을 수 있었다.

나는 밤새 시고모란 사람의 매몰찬 태도, 시어머니의 냉정한 태도, 동서들의 모호한 태도, 남편의 방관적 태도 등등을 곱씹으며 남편을 포함한 시집 식구들에 대한 맹렬한 전의를 불태웠다. 하지만 전의보다 한결 강했던 건 설움이었다. 왜 내가 결혼이란 걸 해서 이런 수모를 당해야 하는가 하는 설움 때문에 입술을 앙다물수록 눈에서는 펑펑 눈물이 솟아났다.

이튿날 퉁퉁 부은 얼굴로 옥색 치마저고리를 떨쳐입고 회갑연에 나타난 나를 보고 동서들은 "저 고모는 그걸로 유명한 사람이야. 뭘 그걸 갖고 그 밤에 친정으로 달려갈 게 있어." 하며 오히려 나의 속 좁음을 탓했다. 밤새 불태운 전의가 일시에 목표를 상실한 것 같은 허탈감에 나는 맥이 풀렸다.

이후 그처럼 극적인 사건은 한 번도 일어나지 않았지만 그때의 상처가 얼마나 깊었던지 시집은 내게 늘 지나치게 형식을 중시하는 집안으로 인상이 굳어졌다. 사실 곰곰 들여다보면 비교적 격식을 갖추어 지내는 제사를 제외하면 그 밖에 형식이 두드러지는 경우는 거의 없었다. 그런데도 형식주의라는 인상이 굳혀진 까닭은 무엇보다 시어머니의 화법이 지시적이고 명령적이었다는 데 그 원인이 있는 것 같다. 나처럼 잔소리나 꾸중을 듣지 않고 자란 사람은 지시와 명령을 받으면 그 내용에 앞서 그 말투만으로도 이미 가슴이 답답해지고 심한 심리적 억압을 느끼기 때문이다.

시어머니는 훈육주임 같은 그 말투 때문에 실제보다 훨씬 엄격하게 보였다. 당신 스스로는 자신이 상당히 너그러운 사람이라고 생각했다. 하지만 무채를 써는 솜씨가 하도 기막혀 보이던지 칼을 뺏어 대신 썰면서 엄격한 표정과 말투로 "니 내 같은 시어마이 아이면 벌써 쫓기났다."라고 할 때 어떤 며느리가 그걸 농담으로 받아들일 수 있단 말인가. 인사성 없고 제멋대로인 막내며느리가 실은 속으로 얼마나 자신을 어려워했는지 알게 되면 나의 시어머니는 아마 굉장히 놀라고 실망하실 거다.

다른 식구들의 눈에는 어떻게 보였는지 모르지만 내 나름대로 결혼

30년은 시집에 대한 처절한 적응의 역사였다. 하지만 솔직히 말하건대 지금까지도 내가 완전한 시집의 일원인가 하는 물음에는 확답을 미루게 된다. '우리 집안'이라는 말이 나올 때마다 나는 자신을 선뜻 그 속에 들여보내지 못하고 구경하는 듯한 기분이다. 그게 막내며느리라는 위치 때문에 그런 건지 아니면 나의 성격 때문인지는 잘 모르겠다.

그렇다고 친정의 일원으로서의 정체성이 확실한 것도 아니다. 나는 원래 결혼하기 전에도 시집가면 시집 귀신으로 죽어야 한다는 말이나 출가외인이라는 말을 들으면 웃음부터 터졌다. 억지도 그런 억지가 어디 있나 싶어서였다. 그러나 시간이 흐름에 따라 피를 나눈 식구들, 친정에 대한 생각도 계속 변해 갔다.

결혼 초에는 시집의 형식적인 분위기에 숨이 막힐 때마다 친정의 자유로운 분위기가 청량제처럼 그리워졌다. 그래서 아이 셋을 데리고 다니는 데서 오는 모든 부담을 무릅쓰고 친정출입을 열심히 했다. 친정 나들이와 형제들과의 만남은 고만고만한 아이들을 끌고 달리 갈 곳이 마땅하지 않던 젊은 여성에게 일종의 해방구였다.

그런데 인간이란 정말 요사스럽기도 하지. 어느 때부터인가 친정의 자유방임적인 분위기가 어지럽게 느껴지기 시작했다. 놀랍게도 나는 어느새 형식주의자가 되어 가고 있었다. 가장 아이러니컬한 것은 시어머니의 엄격한 화법 때문에 늘 마음이 편치 않던 내가 이제는 친정 어머니에게 그걸 바라고 있었다. 워낙 말주변이 없는 친정 어머니가 며느리들에게 최소한의 할 말도 안 하는 것처럼 보여 못마땅한 적도 많았다. 물론 마음속에서만 그랬지 한 번도 드러내 놓고 말하지는 않았다. 출가외인이 무슨 친정 일에 간섭을 하느냐는 비난이 두려워서가 아니라 내가 타고난 개인주의자였기 때문이었다. 남의 일에 이러니저러니 하는 건 체질에 맞지 않는 짓이었다.

아무튼 친정 식구들과는 갈수록 소원해져 간다. 아버지가 돌아가시고 어머니까지 병석에 누우시면서 이제 친정 식구가 모두 모이는 날은 설, 추석, 아버지 제사, 어머니 생일, 네 번으로 고정되었다. 평소 서로 안부전화 한 통 없이 무심퉁하게 지내다가 정해진 날짜에 왁자하고 만나 몇 시간 시끌벅적하다 헤어지면 또 그뿐이다.

자식 결혼 같은 빅 이벤트도 바로 전에 있었던 추석 모임에서 단 한 차례 통고로 끝내는 나나 그로부터 결혼식 날까지 두 달 동안 아무도 궁금해하는 기미를 보이지 않는 형제들이나 다 똑같다. 흔히들 결혼하면 남자 형제와는 멀어지고 여자 형제와는 더 가까워진다고들 하지만 우리 형제들에게는 그것도 맞지 않는 말이다. 어떻게 보면 그냥 예의 바른 타인으로 산다는 점에서 시집의 형제들과 조금도 다를 바 없다. 예의를 차려야 할 일은 시집 쪽으로 더 잦았기 때문에 결과적으로는 동서들과 훨씬 자주 만난 셈이었다.

결국 나이 들어 아들을 결혼시키면서 되돌아보니 시집도 친정도 모두 나 자신의 집을 이루는 토대였다는 깨우침에 다다른다. 며느리의 시집은 바로 나의 집이다. 나의 시집이나 친정 모두 며느리에게는 시집이다.

그토록 서로 대조적이었던 나의 친정과 시집의 장점을 살려 며느리에게 그런대로 괜찮은 시집을 보여 주는 것이 이제 내가 할 일이 아닐

까 싶다. 그러면 며느리는 또 나름대로의 갈등을 겪으며 시집과 친정
을 아울러 자신의 집을 만들어 나가겠지.

자식은 손님

이제 다시 생각해 보니 어쩌면 나는 아이들을 간섭하지 않은
엄마가 아니라 아이들을 간섭하지 못한 엄마였을지 모르겠다.
나는 애초부터 아이들을 언젠가는 떠나갈 손님처럼
생각했던 게 아닐까.

6월이면 미국유학을 떠날 수 있을 거라고 예상했기 때문에 큰애네
셋집을 정확하게 일곱 달 동안만 계약했는데 뜻밖에 차질이 생겼다.
비자가 나오지 않았기 때문이다. 거부 이유가 뭔지 정확하게 알 수 없
었기에 황당했지만 아무튼 일단 셋집을 비워 주어야 할 형편이었다.

떠날 때까지 얼마나 걸릴지 알 수 없는 상황이라 다른 집을 계약하
기도 그렇고 또 달리 마땅하게 머물 장소도 없으니 우리 집으로 들어
올 수밖에 없었다. 내 사전에 없었던 며느리살이가 느닷없이 현실로
나타난 것이다.

큰애네를 들이기로 결정하자 제일 마음이 쓰이는 문제는 집안정리였다. 워낙 정리정돈 못하기로는 국가대표급이라고 자타가 공인하는 나였지만 며느리에게만은 왠지 그대로 드러내기가 껄끄러웠다. 그동안 숱하게 드나들 때도 항상 지저분하기는 마찬가지였지만 그래도 그때는 며느리가 혹시 아, 내가 왔을 때만 어쩌다 안 치워서 이렇게 지저분할 거야, 라고 봐줄 수 있을지도 모른다는 일말의 희망을 품었었다.

하지만 정작 정리를 하려고 마음먹으니 어디서부터 손을 댈지 난감했다. 집안 전체가 완전히 폐품 창고화한 지 몇 년이 지났기 때문이었다. 이사 올 때는 제법 널찍했던 거실도 아무렇게나 쌓아 놓은 온갖 책들과 잡지들, 신문 더미, 상자들로 조금씩 좁아 들어 이제는 발 디딜 틈만 남겨 놓고 있었다.

내 방 역시 노란 장판지가 어디 있나 싶을 정도로 책과 옷가지들이 가득 차 있었다. 남편 방도 막상막하였다. '인간답게 살고 싶다.'며 결혼 이후 줄기차게 나를 핍박해 온 남편도 '목 마른 자 우물 파라.'며 완강히 버티는 나에게 동화되었는지 이제는 방 안 어질러 놓는 데는 나보다 고수가 됐다.

부엌은 '이런 데서 어떻게 음식이 만들어지는지' 감탄할 정도로 뒤죽박죽이고 앞뒤 베란다는 항아리부터 재봉틀까지 쓰지도 않는 물건들로 입추의 여지가 없었다.

집 안을 휘둘러 보는 것만으로도 스트레스가 쌓였다. 아이고, 시어머니 없는 체면 차리려다가 지레 쓰러지겠다는 생존본능은 곧 '생긴 대로 살자.'는 평소의 소신을 되살려 주었다. 며느리를 맞으면서 대청소를 하겠노라는 야심 찬 결심은 고작 큰애가 쓰던 방에 이부자리 펼 면적을 확보하는 걸로 결말을 보았다.

이 와중에 막내까지 제대를 해서 식구는 갑자기 2.5배로 늘어났는데, 사람은 살게 마련이라고, 막연히 우려했던 것과는 달리 집 안이 좁아졌다거나 더 혼잡스러워졌다는 느낌은 들지 않았다. 아마 평소 무질서했던 공간은 곳곳에 엄청난 틈새가 숨어 있는 모양인지 깔끔한 곳보다 훨씬 더 수용능력이 커지는 것 같다(아전인수도 이쯤 되면).

다행히 며느리는 시어머니의 살림솜씨에 별로 개의하지 않는 눈치였다. 자기네들이 불시에 침입을 해서 나를 불편하게 만든 데 대해서 미안해하느라고 다른 데 신경이 안 가나 보았다. 아니면 당면과제가 너무 급해 아무것도 보이지 않았는지도 모르겠다.

주위에서는 농 반 진 반으로 며느리에게 시집살이를 시킬 뜻밖의 찬스라고 나를 떠보기도 했다. 며느리가 해 주는 밥이 어떻더냐고 짓궂은 질문을 듣기도 했다.

나도 며느리와 함께 살게 되면 내가 시어머니로서 어떤 마음을 품을지 궁금했다. 아무리 생각해도 며느리에게 노골적으로 밥을 시키는 짓은 못하겠지만 만약 며느리가 자진해서 밥을 하겠다고 나서지 않으면 노여워하는 마음이 생길까 어떨까.

하지만 첫날부터 며느리는 내게 손님으로 보였을 뿐이었다. 내가 마음대로 부려먹을 수 있는 아랫사람이라는 생각은 티끌만큼도 들지 않았다. 큰애네와 함께 산 한 달 동안 난 단 한 번도 며느리에게 밥을 시키지 않았다. 아니, 시키지 못했다.

요즘도 며느리들을 일꾼처럼 부리는 시어머니들이 있다는 이야기를 젊은 여성들로부터 심심치 않게 들어 왔는데 그때마다 난 그 시어머니들이 대단한 사람들이다 싶었다. 지금이 어느 시댄데 그런 간 큰 짓을 할 수 있는 건지 놀라웠다. 아마 그때 난 며느리 입장에 섰었나 보다.

이제 며느리를 손님으로 보게 되면서 난 그 시어머니들을 재평가하게 되었다. 어쩌면 그들은 진정으로 며느리를 사랑하는 시어머니들이 아닐까. 정말 자기네 식구로 생각하니까, 또 자기네 식구로 만들어야 한다고 생각하니까 스스럼없이 부려먹을 수 있는 게 아닐까 하는 쪽으로 생각이 바뀌었다.

오히려 나처럼 며느리를 손님으로 보고 배려할 대상으로 대하는 사람이 실은 마음이 차가운 시어머니일 수도 있다. 여기는 어디까지나 내 집이고 너는 어디까지나 손님일 뿐이야라며 냉정하게 선을 긋는 거니까.

그런데 며느리만 손님으로 보이는 게 아니었다. 이상한 건지 당연한 건지 잘 모르겠지만 불과 여덟 달 전만 해도 한식구였던 큰아들 역시 어느새 손님처럼 보였다. 결혼해서 집을 떠났다가 잠시 다시 들러 자기가 쓰던 방에 묵는 그 애는 이제 더 이상 나의 아이로 보이지 않았다. 어디까지나 손님으로 들른 며느리의 배우자로, 또 다른 손님으로 보였다.

그러니 아들이라고 해서 며느리보다 만만하게 보일 리 없었고 그 애 역시 여러 모로 며느리만큼이나 불편할 것 같아 마음이 쓰였다. 전 같으면 반찬 한두 가지 차려 놓고도 내 손에 밥 얻어먹는 것만 해도 고맙게 여기라고 큰소리 탕탕 쳤었는데 이젠 반찬을 서너 가지나 차려 놓고도 대접이 소홀한 것 같아 영 미안한 마음이 들었다. 그렇다고 평소에 안 해 먹던 음식을 마련한다고 호들갑을 떨면 며느리가 얼마나 불편할까 신경이 쓰였다. 그래서 두 식구만 살 때처럼 큰애네들과 함께 자주 외식을 하는 쪽으로 방향을 잡았다.

자식이 손님으로 보이는 건 그 애가 결혼을 해서 다른 가정을 이루었기 때문일까. 반드시 그렇지만은 않은 것 같다. 결혼을 했건 안 했건 집을 떠날 나이가 되면 이미 자식은 식구가 아니라 손님이다. 둘째가 집에 들를 때도 그때마다 난 늘 손님을 맞는 기분이다.

그 애도 다른 형제들과 마찬가지로 어렸을 때부터 자기 밥상은 자기가 차려 먹는 게 습관이 됐기 때문에 내가 없어도 냉장고를 뒤져 혼자잘 차려 먹는다. 그런데 예전 같으면 당연하게 여겼던 그런 모습들이 따로 살면서부터는 자꾸 미안하게 생각된다. 내 집에 찾아온 손님을 영 홀대하는 것 같은 기분이다.

가끔씩 손님 대접을 제대로 해야겠다 싶어 애, 뭐 먹고 싶니, 먹고 싶은 거 있으면 다 말해, 내가 해 줄게, 하고 상냥하게 나가면 둘째는 눈을 똥그랗게 뜨고, "어머니, 왜 연기까지 하시고 그러세요?"라며 찬물을 끼얹는다. 왜 안 하던 엄마 노릇을 이제 와서 새삼스럽게 하려 드느냐를 그 앤 매몰스레 '연기하지 말라'로 몰아붙이는 거다. 엄마 노릇 하려는 게 아니라 한번 제대로 손님 접대 하려던 것뿐인데.

막내에게도 실제로 달라진 건 없지만 군대 가기 전에 비해 마음이 더 쓰인다. 항상 '애기'로만 보였던 막내, 그래서 언제까지 엄마 옆에

180

붙어 있을 것만 같던 막내도 결국은 떠나갈 손님이라는 걸 알았으니까. 아직은 떠날 날이 정해져 있지 않은 손님이니까 그동안이라도 잘해 주자 싶어 옆에서 맴도니까 막내는 귀찮기만 한 모양인지 애매한 표정을 짓는다.

두 손님은 한 달 간의 투숙 끝에 미국으로 떠났다. 떠날 때 두 손님은 그동안 폐 많이 끼쳤습니다, 나중에 미국으로 놀러 오십시오, 라며 아주 예의 바르게 인사했다.

손님을 배웅하고 돌아오는 공항버스 안에서 나는 자식을 키운다는 것의 의미를 뒤늦게 재정리해 보았다. 얼떨결에 내게는 이른바 자녀교육에 성공한 엄마라는 타이틀이 붙어 있다. 물론 내 기준과는 엄청난 차이가 있지만 우리 사회에서 자녀교육에 성공했다는 기준은 일류대학 입학이다. 아무튼 그 타이틀 때문에 곳곳에서 젊은 엄마들이 나에게 말을 시키고 싶어한다. 그들이 듣고 싶어하는 말이 뭔지 난 잘 알고 있다. 그들은 아이를 키우는 데 필요한 엄마의 기본자세 따위의 막연한 군소리들은 일체 배제하고 딱 하나, 공부 잘하는 아이로 만들기 위한 비결을 꼭 집어 주기만을 바란다.

엄마들이 원하는 정답을 빤히 알면서도 나는 늘 내 나름의 생각을 말할 수밖에 없다. 그건 아이들이 혼자 크도록 지켜보자는 한가하기 짝이 없는 이야기이다. 내가 아이들에게 거의 잔소리를 하지 않고 키웠다고 말하면 많은 엄마들이 고개를 갸우뚱한다. 그게 마음대로 되느냐, 잔소리 안 하기가 잔소리 하기보다 얼마나 어려운데 그럴 수 있냐는 거였다. 당신의 아이들은 원래 믿을 만하니까 그렇지 우리 아이들은 잔소리 안 하면 정말 아무것도 안 한다고 그들은 계속 주장했다.

나는 내가 특별한 철학의 소유자가 되기엔 지나치게 세속적인 사람이라고 생각해 온 사람이다. 따라서 자녀교육에 대해서도 내 경험 이외의 이론이 따로 없는 사람이다. 그런데 내 경험이 다른 엄마들에게 아주 예외적인 걸로 받아들여진다면 결국 아이들에게 간섭을 하지 않았던 건 순전히 내 성격 덕분이라는 결론에 이를 수밖에 없다. 워낙 무딘 성격을 타고났으니까 이 흔들리는 세상에 아이들을 저 혼자 크도록 내버려둘 수 있었다는.

그러나 이제 다시 생각해 보니 어쩌면 나는 아이들을 간섭하지 않은 엄마가 아니라 아이들을 간섭하지 못한 엄마였을지 모르겠다. 나는 애초부터 아이들을 언젠가는 떠나갈 손님처럼 생각했던 게 아닐까. 어려운 손님에게 이래라저래라 할 주인이 없듯이, 아이들을 손님으로 본다면 어떤 엄마가 감히 아이들을 자기 뜻대로 하고 싶어할까.

'자식을 손님처럼'

앞으로의 강의 제목이다.

그런데, 왜 아직도 남편만은 만만하게 보이는 걸까. 연변에서는 남편을 나그네라고 부르던데.

7장 | 노전생활? 노후생활?

2001. 9. 4
윤원석남

돈이 효자?

처음에는 기쁜 마음으로 지갑을 열던 그들은 이내 그런 자식들에게
야릇한 배반감을 느낀다. 애들이 나를 부모로 보는 건지, 아니면 금고로
보는 건지 의심이 간다. 내게 돈이 없다면 이 아이들이
자주 찾아오기는커녕 전화 한 통도 없겠지.

"아무튼 눈을 감는 순간까지 내 손에 꼭 쥐고 있어야 해. 그래야 애
들이 무시 못하지."

친구들 모임에서 이런 이야기가 나오면 본격적으로 노년에 대한 준
비태세에 들어갔다는 증거이다.

결혼 직후에는 시집 식구 흉보기, 그 다음에는 애들 공부 걱정, 곧
이어서는 애들 혼수 얘기로 서로 질세라 수다를 떨다가 어느 결엔가부
터 자식에 대한 실망과 원망이 솔솔 풀려 나오면서 노후대책이 주 화
제로 대두되기 시작한다. 물론 여자들의 화제라고 해서 정치나 사회

문제가 전혀 도외시되는 것은 아니며 요즘엔 노소를 막론하고 TV 드라마나 연예계 뒷소식에는 전문가 수준이다. 하지만 나이가 들어 갈수록 헤어질 즈음의 화제는 단연 돈 이야기이다.

지금 7, 80대에 속한 사람들은 대부분 노후대책에 대해 특별히 걱정을 안 하고 살았다. 워낙 궁핍한 시절을 겪은 터라 당장의 호구지책을 해결하는 일만으로도 여력이 없었을 뿐만 아니라 전통적인 가치관이 아직 강하게 남아 있었기 때문이다. 일단 죽을힘을 다해 자식들을 어느 정도 먹이고 가르치고 나면 노후는 당연히 자식들 책임이라고 굳게 믿었다. 급격한 산업화를 치르면서 모든 전통이 와그르르 무너져 가는 걸 보면서도 국가는 노인부양 문제에 대해서는 오로지 효 하나면 만사 오케이라는 식으로 버텨 왔다. 정말 그렇게 믿어서 그랬는지 아니면 돈이 없어서 그랬는지 잘 몰라도 앵무새처럼 동방예의지국을 강조하는 것 하나로 곧 닥칠 노인 문제를 덮어 왔던 것이다.

하지만 노인의 삶은 너무나 빨리 변했다. 평균 수명이 대폭 늘어나면서 최소한의 품위도 지키지 못한 채 남루하게 늙어 가는 노인들의 모습이 도처에서 드러나고 있다. 공짜로 나눠 주는 한 끼의 점심을 타먹기 위해 길게 줄을 이룬 노인들의 행렬은 보기에도 딱하지만 그나마 그들은 그런대로 몸은 건강한 편이다. 중병으로 거동도 하지 못한 채 햇볕도 안 드는 골방에서 혼자 끼니를 끓여 먹어야 하는 노인들은 또 얼마나 많은가.

아예 자식이 없다면 무료 양로원에 들어갈 수라도 있다. 워낙 자식의 형편이 어려워서 그럴 수도 있지만 형편이 괜찮은 자식이 여럿 있다고 해서 반드시 편안한 노후를 보장받을 수 있는 건 아니다. 이 자식 저 자식 집으로 공처럼 굴려지다가 결국 버려지는 노인들의 이야기는 70년대 이후 신문 사회면의 단골 기삿거리이다.

이제 막 노년의 입구에 들어선 신노년 세대는 윗세대 노인의 노후를 보면서 자신의 노후는 자신이 책임져야 한다고 단단히 마음먹는다. 그들은 일단 자식에 대한 꿈을 일찌감치 접는다. 그들 스스로는 효를 실천하는 마지막 세대로서 부모를 모셨지만, 자신들은 그런 노후를 원하지 않는다.

그들은 경험을 통해서 효라는 한마디로 미화하기엔 노인을 모신다는 일이 정말 간단한 일이 아니라는 사실을 절감한 세대이다. 경제적으로도 만만치 않고 육체적으로도 피곤하지만 그보다 더 힘든 건 정신적 부담이다.

노인을 모시고 사는 신노년 세대 사람들 — 아니, 사람들이 아니라 여성들 — 은 자신이 하루에도 열두 번씩 천사와 악마 사이를 오간다고 하소연한다. 성장기를 유교적 가르침 속에 보냈던 세대로서 부모 모시는 걸 당연하게 받아들였던 그들이지만 지난 3, 40년 동안의 사회변화는 그들로 하여금 자부심을 느끼게 하기는커녕 스스로 과도기의 희생양이었다는 회한에 젖게 한다. 수명의 연장, 라이프 스타일의 변화, 그리고 노도처럼 닥쳐 온 개인주의의 확산은 노인부양에 대하여 근본적으로 의문을 제기하기에 이른 것이다.

첫째, 수명연장은 노인부양 기간을 대폭 늘렸다. 신노년 세대로 진입하는 여성들이 결혼생활을 시작했던 2, 30대였을 때만 해도 환갑 즈음의 부모는 노인에 속했다. 부모 스스로도 그렇게 생각했고 자식들도 그렇게 보았다. 환갑잔치는 동네잔치였고 대도시에서도 회갑연 전문 식당이 곳곳에 들어섰었다. 이제 환갑을 지냈으니 돌아가실 날이 멀지 않은 부모를 따로 살게 한다는 건 불효 중의 불효였다. 젊은 며느리는 앞으로 한 10년 모시다가 돌아가시면 남 보기에도 좋으리라는 마음에 선뜻 나선다. 그러나 이제 며느리가 환갑이 되었는데도 시집살이는 끝나지 않는 경우가 너무 흔하다.

노인을 모시고 살면 따라오는 일들이 많다. 명절뿐만 아니라 평소에도 일가친척들의 출입이 빈번하고 또 노인의 질병으로 인한 병원 출입도 잦게 마련이다. 반면 며느리도 나이가 들면서 체력이 저하되고 몸이 아플 경우도 생기기 때문에 이런 일들이 젊었을 때보다 상대적으로 더 힘들고 귀찮게 생각될 수밖에 없다. 때로는 이러다 시부모보다 내가 먼저 죽을지 모른다는 예감에 우울해질 때가 많다.

둘째, 신노년 세대는 윗세대에 비하면 출산하는 자녀들의 수가 대폭 줄어들었다. 기껏해야 두세 명의 아이들을 다 키워 내고 나면 대개 50세 즈음이다. 자녀양육과 가사에서 벗어나는 해방감이 큰 만큼 이 연령대부터 노인부양의 부담감은 상대적으로 더 커진다.

셋째, 개인주의의 확산은 젊은이들만의 전유물이 아니다. 가족을 최대의 가치로 여겼던 신노년 세대도 시대와 더불어 자꾸 자신을 돌아보게 된다. 세상은 온통 '나'를 찾으라 하는데 나는 이 나이가 되도록 며느리 노릇에서 벗어나지 못하고 있으니 억울하다. 내가 이렇게 주저앉게 된 건 전적으로 노인부양 때문이라는 생각에 젊었을 때는 다소곳이 받아들였던 효에 대해서 거부감을 느끼게 된다.

이렇게 며느리가 괴로워하는 줄도 모르고 며느리만 보면 옛날 옛적 골백번 들은 이야기를 또 하려고 드는 시어머니, 철이 바뀌었으니 뭐 뭐가 먹고 싶다고 당당히 요구하는 시어머니가 예쁘게 보일 리가 없다. 하지만 속으로 욕하고 미워해 봤자 죄책감만 생길 뿐. 그래, 이왕 이제까지 모셨는데 마지막까지 잘해 드리자. 체념이 다시 그를 천사로 만든다.

악마와 천사 사이를 수없이 왕복하면서 부모를 모셨던, 혹은 모시고 있는 신노년 세대는 자식들에게만은 그런 부담을 지게 하고 싶지 않다. 또 자식들로부터 사생활을 침해당하고 싶지 않다는 마음도 강하다. 이런 자신만만함은 그들이 경제적으로 여유가 생긴 첫 노년 세대이기 때문에 가능하다.

하지만 동시에 그들은 바로 그 경제적 자신감 때문에 잠깐 딴마음을 품어 보기도 한다. 나는 자식들에게 폐를 안 끼칠 테니까 함께 살아도 괜찮지 않을까. 절대로 할머니 같은 시어머니는 안 될 거고 경제적으로도 여유가 있으니, 나 같은 부모라면 지들한테 이익이잖아.

안타까운 일이지만 신노년 세대는 자신들이 자식을 어떻게 키웠는지 까맣게 잊어 버렸나 보다. 그들은 부모들이 땅 팔아, 논 팔아, 품 팔아, 온 힘을 다 바쳐 키워 주었음에도 늘 그것이 성에 차지 않았었다. 그 아쉬움을 자식에게는 대물림하지 않겠다는 각오로 악착같이 돈을 모은 그들은 자식들에게 그 돈을 아낌없이 쏟아부었다.

없는 살림에 여러 형제들과 복대기느라 일찌감치 기가 꺾였던 그들은 자식들의 기를 살리기 위해서라면 모든 것을 다 주었다. 단 하나 자식들에게 요구한 조건은 공부였다. 그들은 학벌의 쓴맛 단맛을 몸서리처지게 맛보았기에 그것을 자식들을 통해 보상받고 싶었다. 해 달라는 대로 다 해 줄 테니 공부만 잘해 다오. 효도가 따로 없다, 공부 잘해서 일류학교 들어가면 그게 바로 효도야, 일류학교 나와서 행복하게 살면 그게 효도란다, 자식들에게 귀에 못이 박이도록 역설했다.

자식들은 자신의 행복이 바로 효라고 굳게 믿었기 때문에 부모에 대해선 따로 배려할 일이 없다고 생각하며 성장했다. 시대의 흐름에 따라 그들은 자신이 부모와 별개의 독립적인 인격체라는 데 의문을 품지 않는다. 그러나 부모로부터 물질적인 지원을 받는 데 대해서는 당연하게 받아들인다. 부모는 주는 존재이므로. 결혼할 때나 집 마련 할 때나 자동차를 살 때나 아기를 낳을 때도 그들은 부모들로부터 돈을 받아낸다.

처음에는 기쁜 마음으로 지갑을 열던 신노년 세대는 이내 그런 자식들에게 야릇한 배반감을 느낀다. 얘들이 나를 부모로 보는 건지, 아니면 금고로 보는 건지 의심이 간다. 만약 내게 돈이 없다면 이 아이들이 이렇게 자주 찾아오기는커녕 전화 한 통도 없겠지.

쓸쓸하기 짝이 없지만 그게 현실이라는 걸 부인할 수 없다. 그래서 나이 들면서 더 돈, 돈 하게 된다.

아주 오래전 소위 아파트 투기 시대가 도래하던 즈음부터 전국을 휘저으며 부동산 투기에 열을 올리던 선배가 있었다. 당시 내 눈에는 엄청난 부자처럼 보였던 그에겐 달랑 아들 하나밖에 없었다. 왜 그렇게 돈에 집착하느냐는 나의 멍청한 질문에 그는 명쾌하게 대답했다.

"나중에 자식을 붙들어 둬야잖아."

난 그때 조금 서글펐다.

지금도 서글프다.

친구 이야기

우리 어렸을 때만 해도 여자들 사이에 진정한 우정은 없다라는 말이
그럴싸하게 통했다. 여자의 우정은 남자가 생기기 전까지만
유효하다는 거였다. 이 말의 진위를 따지기에 앞서 우리
스스로도 무조건 동의했다. 바보 같으니라고.

지금은 세상을 떠난 운보 김기창 선생의 말년을 기록한 다큐멘터리
를 케이블 TV에서 본 적이 있다. 고령에도 지치지 않는 열정을 지닌
분들을 가끔 보지만 운보 선생의 경우엔 특별한 감동을 받았다. 아마
내가 갑자기 약해진 몸 때문에 한창 의기소침했을 때였기 때문인가 보
았다. 일생을 장애를 안고 살아가면서도 성한 사람들보다 훨씬 더 힘
있게 사는 사람들의 모습은 보는 이들을 숙연하게 만든다.

그런데 뜻밖에도 내게 그날 가장 인상적이었던 장면은, 삶과 그림에
대한 설명이 거의 끝나 갈 무렵 어떤 질문을 받았던가 운보 선생이 친

구에 관해서 토로하던 대목이었다. 난 웬일인지 운보 같은 사람에게는 먼저 세상을 뜬 아내 이외에는 달리 가까운 친구가 없을 것 같다고 생각했었다.

"부모 형제보다 좋은 친구가 있어야 해요. 친구에게는 내 살을 떼어 주고 싶잖아요. 친구가 없으면 세상이 너무 쓸쓸해요."

어눌한 말씨로 친구의 의미를 강조하는 그의 표정은 개구쟁이 소년처럼 천진난만했고 그럴 수 없이 행복해 보였다. 실제로 그의 친구가 누구인지 나로선 알 수 없지만 그 역시 운보 못지 않게 친구를 사랑하는 행복한 사람이리라.

흔히 노인들이 겪는 괴로움을 세 가지로 꼽는다. 질병과 가난 그리고 외로움이다. 질병과 가난은 노력 여하에 따라 피할 수도 있는 괴로움이지만 외로움만은 그 누구도 피할 수 없는 거라고 한다. 물론 인간은 본질적으로 외로운 존재라고 생각하면 노인의 외로움이라고 해서 유별날 게 없겠지만 그렇게 철학적으로 들어가지 않아도 노인의 외로움은 실존적인 것이라기보다 실제적인 것일 때가 많은 것 같다.

젊은 사람들이 외롭다, 외롭다 하면서도 시간이 왜 이렇게 빨리 가냐고 투정하는 것과 달리 노인들은 날이면 날마다 '하루 해가 지겹다.'고 호소한다. 아침에 눈을 뜨면 오늘은 또 무얼 하며 하루를 보낼까 한숨부터 나온다고 한다. 물론 거동이 자유로운 노인들은 노인정에도 가고 산책도 하며 하루를 쪼개 쓸 수 있지만 많은 노인들은 어느 연령에 이르면 바깥출입을 전혀 못하게 되는 때가 온다.

그런 노인들의 가장 가까운 친구는 TV이다. 만약 어느 날 하루아침에 TV가 사라진다면 가장 타격을 받을 사람들은 아이들이 아니라 노인들일 것이다. 우리 사회에서는 일반적으로 TV를 가장 많이 시청하는 집단으로 주부들을 들지만 내 생각은 좀 다르다. 주부들은 살림하는 틈틈이 주로 드라마를 중심으로 보지만 노인들은 하루 종일 습관적으로 TV를 틀어 놓는다. 만약 TV가 없었다면 노인들의 하루는 지금보다 훨씬 길어졌을 테고 외로움도 그만큼 깊어졌을 것이다.

TV가 없었다면 노인들은 하루 종일 사람 소리를 듣지 못할 수도 있다. 어떤 사람들은 TV 때문에 가족관계가 소원해진다면서 'TV를 끄자.'거나 혹은 'TV를 깨자.'고 부르짖는다. 하지만 그렇게 한들 이미 자기만의 방을 갖고 그 안에 자기만의 성을 쌓고 사는 젊은이들을 거실로 불러내기에는 역부족이다.

어떻게 보면 그나마 TV를 통해서 할아버지 세대와 손자 세대 간에 공동의 화제를 찾을 수 있을는지도 모른다. 10대 댄스가수나 원로가수를 보면서 한쪽은 환호하고 한쪽은 찡그릴 망정.

요즘 어떤 살뜰한 자식이 있어 노부모 앞에 앉아 조곤조곤 세상 돌아가는 이야기를 해 줄 것인가. 만약 TV가 없었다면 집 안에 갇혀 있는 노인들은 도시 한복판의 아파트에 살아도 세상과 완전히 단절되는 셈이다. 지구촌 곳곳의 오만 가지 화제를 풀어놓는 TV를 통해 노인들은 비록 움직이지는 못하지만 자기가 사는 시대가 도대체 어드메인지 짐작이라도 해 볼 수 있다. 글을 읽을 줄 아는 노인들이라고 해도 어느 시점부터는 깨알만한 신문 글씨를 읽어 낼 도리가 없기 때문이다.

그러니 'TV는 내 친구'라는 노래는 이제 아이들이 아니라 노인들의 주제가가 되어 버렸다. TV가 없었다면 노인들은 적막강산 같은 집 안에서 외로움을 견디다 못해 자식들에게 말을 더 많이 걸었을 테고 자연히 자식들로부터 다정한 응대가 아니라 외면이나 짜증을 되받아야 했을 것이다.

외로울 때 위로받을 친구를 둔 노인은 행복하다. 노인들에게 운보 선생처럼 '내 살을 떼어 주고 싶은' 친구가 있다면 얼마나 좋을까. 그러나 지금의 노년 세대는 친구가 없는 세대이다. 일생을 변화가 너무 심한 세상에서 보냈기 때문이다.

그들은 대부분 아무런 교육도 받지 못했기 때문에 학교 동창이 있을 리 없다. 농촌에서 태어나 그곳에서 성장했으니 고향친구들이 있었을 테지만 도시로 올라간 자식들을 따라가느라고 모두들 뿔뿔이 흩어져 소식조차 끊긴 지 오래이다.

도시에서도 한 동네에 지긋이 눌러 살지 못했다. 이웃 간에 겨우 얼굴을 익힐 만하면 집을 늘리거나 아니면 자식의 직장 때문에 또는 손자들 교육 때문에 이사를 수도 없이 다니니 동네친구를 사귈 여유가 없었다.

아직 몸을 움직일 수 있었을 때는 동네 노인정에 나가 보기도 했지만 이내 그만두었다. 얼굴만 마주쳤다 하면 자식자랑에 열을 올리거나 아니면 허구한 날 화투놀이를 하는 노인들이 영 마음에 들지 않았기 때문이었다. 노인대학은 괜찮을 듯싶기도 했지만 자식들한테 손 벌리는 일이 싫어서 입도 뻥긋 못해 봤다.

노인을 모시고 사는 사람들은 노인에게 친구가 없는 원인을 대부분 노인의 성격이 괴팍하기 때문이라고 보는 것 같다. 하지만 미운 마음을 접고 차분히 생각하면 노인에게 친구를 허용하지 않는 우리 시대에 그 원인이 있는 것이다.

그들에 비하면 신노년 세대는 행운아들이다. 현대적 교육을 받은 덕분에 학교 동창이 많으니 한창 감수성이 예민하던 시절에 '부모 형제보다 좋은' 친구를 사귈 기회가 활짝 열려 있었던 셈이다. 하지만 기회가 많다고 해서 친구가 저절로 만들어지는 것은 아니다. 친구 사귀는 능력도 사람에 따라 천차만별이다. 우정은 길과 같아서 자주 다니지 않으면 잡초가 우거진다는 말이 있다. 친구를 만드는 데는 각별한 품이 든다.

내 또래 여성들의 친구 만들기는 과연 성공일까. 사실 우리 어렸을 때만 해도 우정이란 건 남자들에게나 해당되는 이야기지 여자들 사이에 진정한 우정은 없다라는 말이 그럴싸하게 통했다. 여자의 우정은 남자가 생기기 전까지만 유효하다는 거였다. 이 말의 진위를 따지기에 앞서 우리 스스로도 무조건 동의했다. 바보 같으니라고.

아무튼 나이 들면서 느끼는 건 후회와 반성뿐인데 나에게 친구 만들기는 가장 반성하는 품목 중의 하나이다. 어렸을 때부터 난 스스로 내가 다른 '보통 여자'들하고는 다르다는 터무니없는 자만심 같은 것이 있었다. 따라서 당연히 우정에 있어서도 통념을 뛰어넘을 자신이 있었다. 다른 여자들처럼 친구를 얕게 사귀지 않고 사귀었다 하면 마음속 깊이 사귈 것이며 적어도 남자 때문에 친구를 잊고 사는 우를 범하지는 않으리라고 결심했다.

196

그러나 나는 통념을 벗어나지 못했다. 천성적으로 친구 사귀기를 좋아하는 성격은 변함이 없었지만 우정을 길게 가꾸어 나가는 데는 영 소홀했다. 지금도 한 친구의 얼굴이 안타깝게 떠오른다. 그 친구는 아주 심지가 깊은 여성이었는데 어느 순간에 미혼모가 되었다. 친구의 선택을 이해하고 존중하려고 애썼지만 내 속의 보수는 결국 그의 마음을 불편하게 해 그를 떠나게 하고 말았다.

또 살림에 서툰 나를 자상하게 코치해 주던 친구의 경우엔 별것 아닌 말로 나를 섭섭하게 했다는 이유 하나로 매몰차게 마음에서 몰아내고 말았다. 가정 일로 마음을 앓던 또 다른 친구를 내 상황이 편치 않다는 이유로 멀리한 건 비교적 최근의 일이었다. 얼마나 오랫동안 서로 사랑했던 친구들인데.

지금 내 옆에 남아 있는 몇 안 되는 친구들에게도 내 살을 떼어 주기는커녕 내 기분 내키는 대로 투정을 부리고 산다. 기분이 좋을 때는 몰라라 하다가 기분이 궂은 날엔 안부도 묻지 않는다며 원망이나 한다. 너희들이 나한테 잘못하면 나 먼저 죽어서 너희들 외롭게 만들겠다고 악담을 퍼붓는다. 이렇게 못되게 굴어도 내 곁을 떠나지 않는 친구들이 있다는 것만으로도 나는 요즘 행복하다. 저물녘을 함께 걷는 친구가 있으면 노년도 한결 덜 외로울 것이다.

지난 연말 친구에게 전화로 우아하게 송년인사를 했다. 네가 있어 올해를 덜 힘들게 보냈노라고. 평소 안 하던 말을 하자니 공연히 코끝이 찡해지는 게 영 거북살스러웠다. 참지 못하고 한마디 보탤밖에.

"있을 때 잘해!"

누구하고 살까

정작 나는 나이 들면 누구하고 살까. 솔직히 혼자 살 수 없게 되면
그냥 홀연히 사라져 버리고 싶지만 아주 조그만 소망도 잘
이루어지지 않는 이 세상에서 그걸 바란다는 게 얼마나
큰 욕심인지 잘 알고 있다.

이다음에 더 나이가 들면 누구하고 살 생각이냐는 질문에 대해서는
보통 세 가지 답이 준비되어 있다.

그 하나.

"난 절대로 자식하고 살 생각 없어. 아니, 설사 내가 함께 살 생각이
있다손 치더라도 어떤 자식이 좋아하겠어. 우리 세대야 좋으나 싫으나
부모를 모시는 게 자식된 도리라고 배워 왔으니까 할 수 없이 모시고
산 거지, 솔직히 무슨 효심이 우러나서 그런 건 아니잖아. 내가 그렇게
살았다고 해서 자식한테도 그걸 요구하고 싶지는 않아. 단지 부모라는

198

이유만으로 자식들한테 그렇게 큰 짐을 지울 수는 없잖아.

또 불편한 건 자식도 나도 마찬가지일 거야. 그렇다고 건강할 땐 따로 살다가 몸이 아프면 함께 산다는 것도 말이 안 돼. 자식들 살림에 일손이 필요할 땐 아무런 도움도 안 주다가 결국 부담만 안겨 주는 거잖아.

버틸 수 있는 때까진 혼자 꾸려 가다가 정 힘에 부치면 그땐 시설에 들어가야지. 요즘 슬슬 꽤 괜찮은 시설들이 생기기 시작하는 걸 보면 우리가 들어갈 때쯤이면 지금보다 상황이 훨씬 좋아질 게 틀림없어……."

그 둘.

"어떻게 시설에 들어가. 늙은 것도 서러운데 시설에 들어간다는 건 너무 비참한 일이야. 돈 받고 보살펴 준다는 게 오죽하겠어? 난 악착같이 자식하고 같이 살 거야. 아니, 자식의 입장만 입장이고 부모의 입장은 그렇게 무시해도 되는 거야? 왜 부모는 무조건 자식 눈치만 보고 양보만 해야 하는 거지. 부모가 뼈 빠지게 저희들을 키웠으면 부모 늙었을 때 갚는 건 당연한 도리 아니냐고. 그게 뭐가 그렇게 억울해.

더구나 우리가 옛날 부모들처럼 경제적인 문제까지 책임지라는 건 아니잖아. 죽을 때까지 내가 먹을 건 내가 쥐고 있을 테고 나 죽은 다음에는 몽땅 저희들 차지가 될 텐데 그때까지 어느 정도 신경 쓰는 건 감수하고 살아야지. 사람이란 모름지기 가족 속에서 태어나 가족 속에서 죽는 게 제일 행복한 거야……."

그 셋.

"난 시설도 싫고 자식도 싫어. 늙어서까지 마음에 안 드는 사람을 보고 살아야 한다면 그런 지옥도 또 없을 거야. 늙으면 고집만 세어진다는데 시설에 가면 괴팍한 노인네들이 얼마나 많겠어. 허구한 날 스트레스만 쌓일 거야.

또 자식하고 같이 살면 밥이야 얻어먹겠지만 어느 살가운 자식이 있어 나하고 하루 종일 말 한마디나 나누겠어. 허울만 가족과 함께이지 외로움은 오히려 더할 게 뻔해.

제일 좋은 건 조그만 텃밭이 달린 집을 마련해서 뜻 맞는 친구들끼리 함께 사는 거야. 무슨 말을 해도 서로 마음이 상하지 않을 친구들과 함께 모여서 함께 밥해 먹고 함께 수다 떨면서 살면 얼마나 재미있을까. 그러려면 지금부터 친구들한테 공을 들여야겠지……"

늙어서 최소한의 품위를 지키고 살려면 과연 얼마큼의 돈이 있어야 하는가, 그리고 어떤 일을 하면서 시간을 보낼 것인가 하는 문제와 더불어 앞으로 누구하고 살 것인가가 나이 들어 가는 사람들의 최대 관심사이다. 요즘은 친절하게도 여러 매체에서 노후생활에 필요한 돈이 얼마라고 자세하게 계산해 주기도 하고 노인들이 할 수 있는 취미생활을 소개해 주기도 한다. 하지만 노후를 누구와 어떻게 사는 게 가장 바람직한가에 대해선 별 말이 없다.

늙으면 으레 자식들 중의 하나와 함께 산다는 것 이외에는 달리 생각할 수 없었던 윗세대들의 현재 모습을 보면서 신노년 세대 — 특히 여성들이 더 그렇다. 남성들은 여성들보다 평균 수명이 짧아서 그런지, 아니면 현실감각이 없어서인지 대부분 노후생활 계획을 여성들에게 일임한다 — 는 마음이 착잡해진다. 세상은 급변하고 노인 세대는 엄청나게 늘어나는데 정작 노인의 삶에 대해서는 아직까지 아무도 관심을 두지 않는 사회에서 스스로 길을 잡아야 하는 일이 너무 버겁게 여겨지기 때문이다. 게다가 아무도 자신이 몇 살까지 살지, 좀체로 예상할 수 없으니 더 답답하다.

산다는 모든 일에 정답이 없듯이 늙어서 누구와 함께 사느냐 하는 문제에도 정답은 없는 것 같다. 또 노년의 경제상태나 건강상태에 대해서는 누구나 막연한 불안감을 갖고 있기 때문에 확실한 계획을 세우기가 어렵다. 그나마 현재 경제적 토대가 어느 정도 마련되어 있는 사람들의 경우 위에서 말한 세 가지 길을 나름대로 모색해 볼 수 있겠지만 지금까지도 수렁 같은 삶을 허우적대는 이들에게는 다 꿈 같은 이야기다. 이제까지 닥치는 대로 살아왔듯 그들의 노년도 역시 닥치는 대로 맞을 수밖에.

젊은이들 생각으로는 젊어서 고생하면 나이 들어선 당연히 평온한 삶이 보장되리라 믿지만 우리처럼 격변하는 사회에서는 노년 역시 고달프게 마련이다. 아주 쉬운 예로 이자로 생활을 하는 노인의 경우 금리에 따라 생활수준이 오르락내리락할 수밖에 없다. 뒤늦게나마 최소한의 생활을 보장해 줄 것 같았던 국민연금도 언제 어떻게 될지 아무도 모른다. 그러니 젊어서 아무리 계획을 치밀하게 세운다 해도 상황에 따라 노년의 삶은 언제라도 변할 가능성이 풍부하다.

누구와 사느냐 하는 문제도 마찬가지이다. 가족관계 그리고 경제상태와 건강상태에 따라 끊임없이 변한다. 죽는 날까지 건강하게 독립적으로 살아가는 행운을 누릴 수도 있고 노년의 초입에서부터 건강이 나빠져 가족이나 시설에 의탁하는 경우도 생길 수 있다. 마음에 맞는 자식과 화목하게 지내다가 행복하게 죽을 수도 있고 죽는 날까지 가족과의 갈등을 겪을 수도 있다. 혹은 거의 마지막까지 마음 맞는 친구들과 오순도순 재미있게 살다가 친구들이 먼저 세상을 뜨면 양로원으로 가거나 자식 옆으로 돌아올 수도 있다.

다만 그 모든 삶의 방식들이 제한된 조건하에서나마 자신의 선택에 의해서 이루어질 수 있다면 얼마나 좋을까 하는 것이 나이 들어 가는 사람들의 간절한 바람이다. 그래서 그들은 죽을 때까지 최소한의 품위를 유지시켜 줄 돈을 갖고 있어야 한다는 생각과 더불어 치매에 대한 걱정 때문에 항상 불안하다. 치매에 걸리면 최소한의 품위고 선택이고 다 물 건너간 이야기가 되고 말기 때문이다.

우리처럼 개항 이래 언제나 과도기적인 사회에서는 젊은이들 살기도 힘들지만 나이 드는 것도 보통 힘든 일이 아니다. 우리 사회는 이미 고령화 사회로 진입했는데도 고령자에게 각자의 인생은 각자가 책임질 일이라는 식의 자세를 고수하고 있다. 숨 가쁘게 달려온 사람들에게 이제 남은 일은 또 숨 가쁘게 늙어 가는 일이다. 본격적인 노령 사회로 들어간다는 30년쯤 후에는 나이 드는 게 좀 편해질까. 그때까지는 모두들 개척자적인 정신으로 늙어 가야 하는 걸까.

물론 지금 형편으로는 그 많은 사람들의 노후를 전적으로 사회가 책임질 수는 없는 노릇이다. 그러나 사람들이 늙어 가는 데 느끼는 불안을 조금이라도 덜어 줄 수 있는 방법들을 지금부터 모색해야 한다.

그러기 위해선 무엇보다 다양한 수준, 다양한 형태의 시설들을 곳곳에 마련해야 한다. 그래서 각자가 자기 수준과 취향에 맞는 시설을 선택할 수 있어야 한다. 시설들은 집단 수용소가 아니라 새로운 형식의 공동체라는 개념 위에서 세워져야 한다.

그리고 늙어서도 혼자 독립적으로 살고 싶은 사람들을 위해서는 지속적인 도움과 관심을 보이되 보호의 관점이 아닌 존중의 관점이 밑받침되어야 한다.

또 죽을 때까지 가족과 함께 지내려는 사람들을 위해서는 가족들의 경제적 부담을 덜어 주는 쪽으로 체계적인 도움을 주어야 한다.

이런 주장들을 늘어놓다 보니 마치 내가 노인문제 전문가인 양하는 게 아닌가 싶어 영 켕긴다. 하지만 지금 현재 노인을 모시고 사는 사람이나 스스로 나이 들어 간다고 느끼는 사람이라면 누구나 느끼는 문제들일 것이다. 나이듦이란 것은 개인적인 일이며 동시에 사회적인 일이다.

그렇다면 정작 나는 나중에 더 나이 들면 누구하고 살까. 혼자 버틸 수 있을 때까지는 버티다가 영 힘이 없어지면 시설에 들어간다는 게 지금 현재의 설계이다. 하지만 내가 꿈꾸는 시설은 아직까지 어느 곳에도 없는 그런 곳이다. 솔직히 혼자 살 수 없게 되면 그냥 홀연히 사라져 버리고 싶지만 아주 조그만 소망도 잘 이루어지지 않는 이 세상에서 그걸 바란다는 게 얼마나 큰 욕심인지 잘 알고 있다.

하지만 난 아직도 심술쟁이 엄마라서 가끔씩 아이들을 썰렁한 농담으로 괴롭힌다.

"나중에 너희들 셋 중에 누구하고 살아 줄까."

혹시 내 마음 깊은 곳에서 아이들 중 어느 하나를 점찍어 놓은 게 아닐까. 설마.

휴대폰과 인터넷

결국 쓰게 될 텐데 그렇게 마지못해 끌려가지 말고
좀 더 적극적으로 나섰다면 오죽 좋았을까. 하지만 정보화 사회의
문턱을 넘긴 넘었지만 디지털 인간이 되기엔 아직 멀었다.
난 아직도 아날로그적 인간이다.

가끔 생각해 본다. 만약 저승이란 데가 있다면 나중에 죽어서 조상
들을 주루룩 만날 텐데 과연 어느만큼 커뮤니케이션이 가능할까. 내가
살아온 격변의 시대를 어떻게 설명해야 그들이 알아들을 수 있을까.
이런, 내가 가는 곳하고 그들이 있는 곳하곤 영 다를지도 모르고, 또
귀신은 무슨 일이든 꿰뚫는 신통력을 지녔을 텐데 정말 걱정도 팔자다.

아무튼 살면 살수록 참 변화무쌍한 세상이구나 싶고, 그 세상을 끝
에서나마 용케 따라가는 자신이 신통 방통하다. 내 기분은 이제 겨우
농경사회를 막 벗어난 것 같은데 몸은 어느새 정보 사회의 문턱을 성

큼 들어서 있다. 변화에 대한 거의 맹목적인 거부감에도 불구하고 제 정신을 놓치지 않고 변화의 물결을 타는 걸 보면 그 끈질긴 생존본능에 경탄하지 않을 수 없다. 흔히들 말하듯이 정보화는 선택의 문제가 아니라 필연이기 때문에 가만히 있어도 따라가게 되어 있는 건지도.

소나 개도 몬다는 자동차를 끝내 안 몰고도 잘 살아온 나였다. 꽤 분망한 나날을 보냈으면서도 자동차를 안 몬 건 운전에 대한 공포 또는 환경의식보다도 새로운 것에 대한 거부감 때문이었다. 지금은 운전을 안 하는 걸 선택의 문제로 볼 정도로 세상이 좀 여유로워졌지만 한때는 나처럼 바쁘게 사는 사람이 운전을 안 하는 걸 무조건 무능력으로 치부하던 때가 있었다. 남들이 우습게 볼까 봐 무리해서 자동차를 산다는 말이 별 저항 없이 받아들여지기도 했다.

휴대폰과 인터넷이 등장하기 시작하던 무렵에도 난 그것들을 내 생활 속으로 끌고 들어오지 않을 자신이 있었다. 뚜렷한 소신이 있어서라기보다 '안 하면 죽는다.'는 식의 분위기에 끌려가고 싶지 않았다. 유행이라면 뭐든지 우르르 좇는 군중 속 일원이 되는 걸 난 어려서부터 거의 본능적으로 싫어했다. 아이들 키우는 일도 마찬가지였다. 과외나 촌지를 거부한 것도 남들이 다 한다는 바로 그 이유 때문이었다.

휴대폰이 처음 등장했을 때만 해도 그런 건 꼭 필요한 사람이 따로 있는 법이라고, 나 같은 사람하고는 전혀 상관없는 물건이라고 시큰둥해하던 불과 몇 년 사이 휴대폰은 인구의 절반이 넘는 사람들 손에 들어가 있었다. 처음에는 휴대폰을 쓸 만큼 바쁘지 않다는 이유로 외면했지만 곧 이어 휴대폰을 쓰는 이들이 일으키는 공해에 넌더리가 났기 때문에 난 절대로 휴대폰을 쓰지 않겠다는 결심을 굳혔다.

대중교통을 이용하면 제일 싫은 게 사람들 체취라는 이들도 있지만 내 경우에는 함께 탄 일행끼리 마구 떠들어 대는 소리였다. 그런데 그것도 옛말, 어느새 휴대폰 소음이 나를 가장 괴롭히는 주범이 되어 있다. 한꺼번에 서너 사람의 입을 통해 "지금 어디 어디를 지나가고 있다."라는 중계방송을 들어야 하는 건 정말 고역이다.

얼마 전 탄 버스의 뒷좌석에 앉았던 한 중년 남자는 내가 내릴 때까지 40여 분 내내 휴대폰으로 사업을 했다. 아마도 일이 꼬였던 모양인지 악을 쓰다가 위협을 하다가 애원으로 바뀌고 하는 모습이 마치 한 편의 모노드라마를 보는 기분이었다. 일말의 동정심이 우러나지 않는 바도 아니었지만 그보다는 듣지 않아도 좋을 남의 사업내용을 억지춘향으로 들어야 하는 상황에 짜증이 앞섰다.

워낙 낯선 사람들에 대해서는 예의를 차리지 않기로 정평이 있는 한국 사람들이지만 휴대폰의 급속한 보급은 그런 특성을 더욱 두드러지게 만드는 것 같다. 남 엿보기 좋아하는 취향만큼이나 자기네 사는 속내를 남들 앞에서 시시콜콜히 까발리고도 낯색 하나 변하지 않는다.

휴대폰을 쓰는 사람들이 밉다 보니까 휴대폰 자체까지 기피대상이 되고 말았다. 휴대폰을 쓰지 않으면 가끔 본의 아니게 욕을 먹는 경우도 생긴다. 이태 전인가, 가까운 후배 하나가 급히 중요한 일을 기획하면서 내게 몇 번 전화를 했는데 제때 연락이 되지 않은 적이 있다. 그는 나중에 정색을 하고 나를 비난했다. "휴대폰도 마련하지 않은 걸 보니 선배님, 아주 나쁜 사람이군요." 그래도 난 별로 미안하지 않았다.

내가 꼭 필요한 사람이라면 집 전화만으로도 얼마든지 연락이 되게끔 정성을 쏟아야 한다고 믿었다.

사실 나도 휴대폰이 아쉬울 때가 아주 없었던 건 아니다. 지금까지 잊을 수 없는 기억이 하나 있는데 어느 여름에 먼 지방도시로 강의하러 갈 때의 일이었다. 충분히 여유를 두고 고속버스를 탔는데 그날따라 유달리 체증이 심해서 약속시간을 도저히 맞출 수 없게 되었다. 가다 서다를 반복하던 버스 안에서 속을 태우며 나는 심한 자책감에 빠졌다. 휴대폰을 마련하지 않은 건 내게 '프로 정신이 없다는 증거' 였다. 하지만 나는 애초부터 프로이기를 원하지 않았다.

무엇보다도 휴대폰을 거부했던 가장 큰 이유는 그것이 내 생활을 더 분망하게 만들 게 뻔했기 때문이었다. 정신없이 몰아치는 일상에 싫증을 느끼기 시작한데다 때마침 몸까지 지칠 때라 세상으로부터 도망치고 싶은 마음이 굴뚝 같았다. 그런 시점이었으니 휴대폰에 대해서 과잉방어 태세를 갖춘 건 당연한 일이었다.

그런데 한창 바쁠 때도 고집스레 외면했던 휴대폰을 유한족 생활에 어느 정도 길이 들어 가던 얼마 전에 결국 마련하고 말았다. 이유는 언젠가부터 긴급상황이 발생할 가능성을 항상 염두에 두어야 하는 상황에 처했기 때문이었다. 시집과 친정 양쪽 어머니들이 언제 돌아가실지 모르게 된 상태인데 휴대폰이 없다 보니 집을 떠날 때마다 불안했다. 그래서 열흘간 여행을 떠나기로 계획을 세우면서 동시에 휴대폰을 마련했다.

물론 내게 휴대폰의 기능은 아주 단순하다. 전화번호도 양쪽 어머니의 비상사태를 알려 줄 수 있는 가족에게만 알려 주었다. 그러고 보면 우리 나라의 휴대폰 보급률이 높은 까닭은 우리 민족이 정이 많기 때문이라고 한 이어령 선생의 말이 맞는 것 같다. 걱정도 정이니까. 결국 걱정이 나를 정보화시킨 셈이다.

이렇게 마지못해 끌려간 건 인터넷도 마찬가지이다. 사실 10년 동안 사용한 286 컴퓨터가 어느 날 갑자기 먹통이 되지 않았다면 난 지금도 인터넷을 몰랐을 거다. 연재하던 글을 중단할 수도 없고 해서 큰애한테 고쳐 달라고 했더니 너무 고물이라 고칠 수 없다고 했다. 그렇지 않아도 벌써부터 제발 컴퓨터 좀 개비하라고 압력 아닌 압력을 넣던 터라 큰애는 컴퓨터 고장이 천만다행이라는 표정을 숨기지 않았다. 이 기회에 최신형 컴퓨터와 프린터를 마련하고 인터넷 전용선도 깔자고 나를 부추겼다.

내게 컴퓨터는 타자기나 마찬가지였다. 무한한 기능을 가진 물건을 제대로 대접해 주지 않은 주제에 최신 컴퓨터라니 당치도 않았다. 더구나 인터넷을 안 해도 세상은 어느새 정보가 홍수를 이루어 익사할 지경이다. 난 정보의 바다에서 헤엄치고 싶은 마음은커녕 가능한 한 그 바닷가로부터도 멀리 달아나고 싶은 심정이었다.

나는 고집을 부렸다. 낡은 컴퓨터를 고칠 수 없으면 이제부터는 다시 손으로 글을 쓰겠노라고. 연재하던 글은 분량이 이백자 원고지로 10장 정도였으니까 손쉽게 쓸 수 있을 것 같았다. 몇십 년 동안 손으로 썼었는데 컴퓨터를 쓴 지 몇 년이나 되었다고 그까짓 10장짜리를 못 쓰겠나. 난 오랜만에 펜을, 그것도 가장 부드러운 걸 골라잡았다. 결과는? 어이없게도 참패. 몇 줄 못 가서 손을 들고 말았다. 팔이 아픈 것도 문제려니와 무엇보다 아예 아이디어가 떠오르지 않았다.

펜에서 컴퓨터로 바꿀 때까지도 난 오래 망설였었다. 말할 것도 없이 새것에 대한 거부감 때문이었다. 글을 쓸 때는 펜으로 한자 한자 따라잡아야 좋은 글이 나온다고 굳게 믿었다. 결국 팔에 통증이 온 다음에야 고집을 꺾었다. 그런데 이젠 컴퓨터 없이는 단 10장 분량의 생각도 할 수 없게 된 것이다. 나는 글쓰기를 중단했다.

두 달쯤 내 눈치를 살피던 큰애는 간단한 통고와 함께 최신형 컴퓨터를 사오고 인터넷까지 깔았다. 짐짓 못마땅한 표정을 짓던 내가 조심스레 새 컴퓨터에 다가간 건 그러고도 한 달이 지나서였다. 슬그머니 자판을 두드리고 있자니 어느새 등 뒤에 와 섰던 큰애가 "아유, 우리 어머니 혼자서도 잘하시네."라며 추켜세운다. 이건 완전히 유치원생도 아닌 유아원생 취급이다. 전에는 드르륵드르륵하는 프린터로 한참을 들여 인쇄를 해서 다시 팩스로 보냈는데, 이젠 날렵하게 이메일로 보냈다. 드디어 나도 정보화 사회의 당당한 구성원이 된 셈인가.

결국 이렇게 넘어설 텐데 그렇게 마지못해 끌려가지 말고 좀 더 적극적으로 나섰다면 오죽 좋았을까. 하지만 정보화 사회의 문턱을 넘긴 넘었지만 디지털 인간이 되기엔 아직 멀었다. 난 아직도 아날로그적 인간이다.

휴대폰과 마찬가지로 내게 있어서 인터넷의 효용은 그 범위가 아주 좁다. 고작 신문을 보고 책을 사고 또 김치를 주문하는 정도이다. 인터넷 뱅킹보다는 정감 가는 은행원의 얼굴을 보면서 송금을 하고 공과금을 내는 게 더 좋다.

앞으로도 새로운 것이 나오면 난 또 한참을 망설이다가 겨우 받아들일 거다. 이런 머뭇거림, 이런 굼뜸은 나이듦의 증세가 아니라 전적으로 촌스러운 내 성격의 소산이다. 내 친구 시어머니는 살면 살수록 새록새록 새로운 것 보는 맛에 죽고 싶지 않다고 하시던데 난 새로운 것 만나기가 이렇게 겁나니 어떡하지.

도심을 못 떠나는 이유

지금이 떠날 때라는 사실을 깨닫게 되자 변화에 대한 두려움이
나를 사로잡았다. 누가 내 등을 밀어 도심에서 추방시키기라도
할 것 같은 위기감에 쫓기며 결사적으로 내가 계속
머물러야 할 핑곗거리들을 찾기 시작했다.

꿈이 많은 만큼이나 고민도 많았던 젊은 날에는 나이가 들어 갈수록
사는 게 좀 수월해질 줄 알았다. 한 50년 살면서 갖가지 풍상을 겪어
내다 보면 노하우까지는 아니라도 일종의 내성 같은 것이 생겨 웬만한
일에는 눈도 꿈쩍 안 할 거라고 기대했는데 말짱 꽝이다.

오히려 무슨 일만 생기면 지레 겁부터 나는 것이 그 일을 생각만 해
도 가슴이 울렁거리고 진땀이 난다. 아마 몸이 약해져서 그런가 보다
하고 주위를 둘러보니 친구들도 증상이 비슷하다. 모두들 나이가 들수
록 골치 아픈 일이 무섭고, 골치 아픈 사람들이 더 꺼려진다고 한다

(그런데 나이가 들어도 정치를 하겠다고, 또 높은 자리에 앉고 싶다고 달려드는 사람들이 많은 걸 보면 정말 신기하다. 아마 타고난 모양이지?).

젊었을 때는 마음에 안 드는 사람을 보면 억지로라도 어울릴 수 있었는데 이젠 편하고 즐거운 사람하고만 만나고 싶다고 이구동성들이다. 이래서 대부분의 사람들이 나이가 들수록 푸근해지는 게 아니라 더 팍팍해지는가 보다.

내가 가장 스트레스 받는 일 중의 하나가 이사하는 거다. 내 친구 중에는 이사가 취미가 아닐까 싶을 정도로 손쉽게 이사를 다니는 여성도 있지만 난 이사가 생각만 해도 무섭다. 본격적인 복부인에는 훨씬 못 미치지만 내 또래는 잦은 이사를 통해 재산을 늘린 주부들이 많다. 옆에서 그런 이들을 볼 때마다 적잖이 박탈감을 느끼면서도 선뜻 따라 하지 못했던 건 무슨 도덕감이니 정의감이니 하는 차원이 아니라 단지 이사에 대한 스트레스가 컸기 때문이었다.

지난번 집에서는 10년도 더 넘게 살았었다. 아이들도 다 컸으니 이제 몇십 년 동안은 이사할 일이 없으리라고 마음 편히 지냈는데 뜻밖에도 남편의 일이 잘 안 되는 바람에 집을 팔아야 했다. 이 집에는 전세를 들었는데 IMF 때 전세금이 대폭 떨어졌을 때도 주인이 전세금을 내려 주지 않았지만 돈 생각보다도 이사하는 게 번거로워 그냥 눌러 살았다. 은행금리가 한창 높았을 때라 주위에서는 날 어리석게 보는 눈치였지만 손해 보는 게 낫지 이사는 엄두를 못 냈다. 그런데 갑자기 주인이 들어와 살겠다고 집을 비워 달라는 것이었다. 무주택자의 비애를 톡톡히 맛본 것이다.

다행히 경제사정이 나아져 무주택자에서 다시 유주택자로 신분상승할 기회를 맞았으니 즐거운 마음으로 집을 보러 다녀야 마땅한데 이사 스트레스는 여전했다. 예전 같으면 집 주소를 들고 새 집으로 찾아오곤 했던 남편이 결혼 후 처음으로 집 보러 다니는 데 동행했지만 오히려 예전보다 더 힘들게 느껴졌다. 차라리 집주인에게 제발 더 살게 해 달라고 부탁하고 싶은 마음이 굴뚝 같았다.

하지만 긍정적인 마음자세를 갖자고 수없이 자신을 다독였다. 그리고 이번에야말로 환경을 획기적으로 바꿔 보자고 굳게 마음먹었다. 무엇보다 이번 이사를 도심 탈출, 전원 만끽의 기회로 삼고 싶었다.

도심 탈출은 오랜 꿈이었다. 나날이 복잡해지는 환경과 자동차 공해에 진저리를 치면서 언젠가 때가 되면 이 들끓는 도시 한복판을 훌쩍 벗어나 한가로운 전원에 터를 잡고 정말 사람답게 살아 보겠노라고 별렀었다. 물론 그때란 대부분의 사람들이 예상하듯이 아이들 다 키워 놓고 일손을 놓을 무렵이다. 그 꿈을 위해 10여 년 전에는 어렵사리 서울 근교에 터를 마련해 놓기까지 했다.

드디어 지금이 그때이다. 그런데 웬걸 지금이 바로 그때라는 사실을 깨닫자마자 도심 탈출에 대한 희망이 아니라 변화에 대한 두려움이 나를 사로잡았다. 나는 누가 내 등을 밀어 도심으로부터 추방시키기라도 할 것 같은 위기감에 쫓기면서 결사적으로 내가 도심에 계속 머물러 있어야 할 핑곗거리들을 찾기 시작했다.

그닥 애쓸 필요도 없이 이미 준비된 핑곗거리들이 충분히 있었다.

가장 명분 있는 핑곗거리는 병원이 멀다는 것이었다. 아, 이 핑계를 만들어 놓기 위해서 내 몸은 갑자기 그렇게 약해졌나 보았다.

불과 2년 전만 하더라도 난 병원과 나 사이에는 아무 인연이 없을 거라는 터무니없는 자신감을 갖고 있었다. 나처럼 튼튼한 사람은 죽을 때도 시름시름 앓다가 가는 게 아니라 화끈하게 팍 쓰러져서 갈 거라고 생각했다.

그런데 이젠 병원을 가끔씩 찾아야 하는 상황이 되었는데 그새 의약 분업이 실시되는 바람에 여성 호르몬 하나를 먹으려 해도 의사의 처방전이 필요한 세상이 되었다. 병원은 어느새 내 일상에 깊숙이 들어와 버렸다. 지금은 마을버스를 타고 15분 정도만 가면 되는데도 병원 가는 일이 아주 번거롭게 느껴지니 만약 교외에 살면 어떨까.

이미 전원생활을 하는 선배 한 분은 나의 이런 핑계를 쓸데없는 걱정이라며 일소에 부쳤다. 그분은 전원에 살면 근본적으로 병원에 출입하지 않아도 되는 몸을 만들 수 있는데 무슨 걱정이냐고 자신만만했다. 우리 몸의 모든 병은 자연의 법칙을 어그러뜨리며 사는 데서 생기는 것이기 때문에 자연과 더불어 살면 질병이 범접할 수 없다는 것이었다.

사실 나도 동의한다. 병원에 갈 때마다 난 현대의학의 가능성보다는 한계를 느끼는 때가 더 많다. 무엇보다 종합병원 체제가 갖는 비인간성을 접하면서 병은 의사가 아니라 환자 자신이 고쳐야 한다는 생각이 점점 강해진다.

그럼에도 불구하고 2년쯤 병원에 익숙해지다 보니 그로부터 멀어진다는 것에 대한 두려움이 커 간다. 조금 더 지나면 병원에 대한 지겨움이 더 커지거나 혹은 몸에 대한 걱정이 줄어들거나 해서 병원 따윈 모른 척하게 될지 모르겠지만.

두 번째 핑곗거리는 좀 웃기는 얘기다. 멀리 떨어져 있으면 아이들이 자주 안 올지 모른다는 데 대한 두려움이다. 20여 년을 아이들과 복닥거리면서 언제가 되어야 이 아이들로부터 해방될 수 있나 고대해 왔는데 두 아이들을 떠나보낸 지 얼마나 되었다고 벌써부터 아이들로부터 멀어지는 걸 두려워하고 있는지 정말 알다가도 모를 일이다. 내가 떠나보내는 것하고 아이들이 찾아오지 않는 것하고는 완전히 다른 문제라고 강변하는 거 아닌가.

말로는 엄마에게 구애받지 말고 너희들 좋은 대로 훨훨 날아라 하며 한없이 관대한 척하면서 한편으로는 아이들로부터 외면당하지 않을까 속앓이를 하는 이 이중성이라니. 그래서 아이들이 내놓고 외면할 수 없도록, 가다 오다 들르지 않을 수 없도록, 도심 한복판에 떡 버티고 살겠다는 나는 얼마나 교활한 엄마인가. 제발 이런 핑계가 몸이 약해져서 생긴 일시적 현상이기만을 바랄 뿐이다.

하지만 위의 두 가지 핑곗거리가 심신의 건강회복과 더불어 곧 사라질 수 있는 성질의 것이라면 세 번째 핑계는 아주 강력한 근거를 갖고 있다. 이게 좀 엉뚱한데, 뭐냐 하면 바로 영화 구경이다. 솔직히 털어놓자면 내가 거의 20년이라는 세월을 이 동네, 시끄럽고 먼지 많은 이 강남 한복판에서 뭉기적거리며 사는 가장 큰 이유는 학군이 좋아서도 아니요, 교통이 편리해서도 아니다. 그건 단지 영화관을 걸어서 갈 수 있다는 매력 때문이다.

우리 집에서 15분 정도만 걸으면 두 개의 큰 영화관이 있다. 집에서 저녁밥을 해결한 후 아무 거나 편한 대로 걸치고 운동화를 신고 걸어가 두 영화관에서 상영하는 여러 편의 영화 중에서 마음대로 골라잡아 마지막 회를 본다. 집에 갈 걱정 없이 느긋하게 마지막 회를 보는 그 재미가 얼마나 근사한지, 경험하지 못한 사람들은 짐작도 못할 거다.

특히 무뎌질 대로 무뎌진 내 가슴 깊은 곳을 건드리는, 그래서 그 아릿한 느낌을 단 얼마 동안만이라도 조심스레 보듬고 싶은 영화를 본 날이면, 젊은 날 연애할 때처럼 막차를 놓칠세라 달음박질치지 않아도 된다는 사실이 너무 행복하다.

그런 날 밤이면 마음이 한결 넉넉해져 밤하늘을 올려다보기도 한다. 그리곤 도심에서도 한밤중에는 별이 보인다는 사실을 새삼 확인하곤 깜짝 놀라기도 한다.

여기저기 이사할 곳을 찾아 마음만 분주하던 나를 다시 도심에 묶어 놓은 건 이런 핑곗거리들이었다. 나는 결국 지금 살고 있는 곳에서 가장 가까운 곳을 선택했다. 오히려 더 시끄럽고 더 먼지가 많은 큰길 가에 있는 집으로 결정했다. 익숙한 것과의 결별은 내게는 가당치 않나 보다.

버리자, 또 버리자

여행을 가서 콘도에 들 때마다 난 열심히 반성한다.
언감생심 일체의 소유에서 자유로운 법정스님까지 닮을 순
없겠지만 부엌살림만큼은 콘도 수준으로 하자고.
그 이상의 도구들은 다 쓰레기일 뿐이라고.

받아 놓은 날은 빨리 간다더니 멀리 잡아 놓은 듯싶은 이삿날이 성
큼성큼 다가오고 있다. 이사할 날이 가까워 오면서 집 정리할 시간은
자꾸 줄어드는데 좀체로 손댈 엄두가 나지 않는다. 그저 집 안을 돌아
보는 것만으로도 한숨이 저절로 흘러나온다.

4년 6개월 전 이 집으로 들어올 때는 하도 경황이 없어서 짐 정리를
하나도 못했다. 포장이사라는 것이 시작될 때였는데 짐 정리를 안 하
고 이사를 맡겼더니 쓰레기 뭉치까지 알뜰하게 포장을 해 와서 풀어놓
았다. 평수는 어슷비슷했는데 하도 허섭스레기 같은 짐들이 많아 집이

반으로 줄어든 것만 같았다. 나는 결심했다. '그래, 앞으로는 컵 하나라도 절대로 사지 않는 거야.'

내 딴에는 결심을 지킨다고 지킨 듯싶었는데 결과는 전혀 딴판이었다. 그동안 짐이 주인 몰래 새끼를 치기라도 했는지 집은 이사 올 때의 반으로 줄어든 듯했고 집 안 구석구석마다 짐은 배로 늘어난 것 같았다.

이사 올 땐 비교적 넓어 보였던 거실은 여기저기 책 무더기와 신문 더미가 쌓여 있어 마룻바닥이 안 보일 정도이고 어린아이도 없는 집에 먼지를 뒤집어쓴 곰 인형들은 왜 그리 여기저기 굴러다니는지 모르겠다(둘째가 버리고 간 거겠지).

부엌은 어느 틈에 그렇게 끌어들였는지 기억도 나지 않는 스텐 냄비니 플라스틱 바구니 등으로 찬장 속은 물론이고 바닥까지 발 디딜 틈이 없다. 자주 쓰는 양념통들은 넣었다 꺼냈다 하기가 귀찮아 조리대 위에 아예 내놓고 쓰기 때문에 가스대 아래 찬장은 열어 보지도 않은 지 오래됐다. 그런데 그 안에는 주인 아줌마가 요리사라도 되는지 수많은 양념병들이 뚜껑도 안 딴 채 빼곡하게 들어서 있다. 하나같이 유효기간이 지난 것들이다.

방마다 꽤 용량이 큰 옷걸이들이 있건만 옷걸이에 걸린 옷보다 구겨진 채 쌓인 옷들이 더 많고 벽면을 꽉 채운 책장에 못 들어간 책들로 방바닥은 입추의 여지가 없다. 그다지 좁다고 할 수 없는 앞뒤 발코니에는 결혼할 때부터 끌고 다녔던 대형 항아리들이 그냥 엎어져 있고 그 위에 쌓인 크고 작은 헌 상자들이며 쇼핑 봉투들이 마치 고물수집상을 연상케 한다.

냉장고의 냉동칸은 자세히 조사를 해야만 정체를 알 수 있는 돌덩이 같은 음식들로 가득 차 '낙석 주의' 라고 써 붙이지 않으면 어느 날엔가 대형사고를 칠 것 같다. 도대체 언제 먹겠다고 저렇게 저장을 많이 해 두었을까 참 욕심도 대단하다 싶다. 그래도 내가 유일하게 가끔씩 마음먹고 정리해서 한 자루씩 내다 버리곤 했던 신발들. 이런, 또 어느새 한두 번밖에 신어 보지 않은 운동화와 구두들로 신발장이 꽉 차 있다. 걷거나 서 있는 시간이 많아서 발이 조금이라도 불편하면 못 참기 때문에 이 방면에서만큼은 늘 과소비이다.

하긴 바깥일을 보고 집으로 돌아올 때마다 내 손이 언제 비어 본 적이 있어야지. 책이건 식료품이건 옷이건 항상 뭘 사 들고 들어오는 게 버릇이 된 지 오래이다. 따로 쇼핑할 시간이 없이 바빠 살았기 때문에 일단 나갔다가 빈손으로 돌아오면 뭔가 큰 손해를 보는 기분이 들기 때문이다. 양손 가득 봉투를 들고 들어올 때마다 아이고, 또 쓰레기가 늘겠구나 하고 걱정을 안 하는 게 아니다. 그래서 무얼 살 때마다 다짐을 하고 산다. 집에서 나갈 때는 뭔가 꼭 이만큼 갖고 나가서 버려야지 하고 마음먹지만 평소에 워낙 정리라는 것하고는 거리가 먼 사람인데다가 왜 나갈 때마다 그렇게 시간에 쫓기는지 거의 언제나 빈손으로 뛰쳐나가게 된다. 들어오는 건 많은데 나가는 건 적으니 쌓일 수밖에. 그게 돈이라면 얼마나 좋을까마는 쓰레기이니 골치지.

여행 가서 콘도에 들 때마다 난 열심히 반성한다. 언감생심 일체의 소유에서 자유로운 법정스님까지 닮을 순 없겠지만 부엌살림만큼은 콘도 수준으로 하자고. 그 이상의 도구들은 다 쓰레기일 뿐이라고.

그런데 살림 못하는 여자답게 예쁜 그릇 사는 데 별 유혹을 안 받는 건 참 다행인데 아차차, 공짜에는 왜 또 그렇게 약한지, 참치 통조림 네 통 사면 껴 주는 플라스틱 물통이며 김치통은 냉큼냉큼 받아 온다. 된장 고추장 사 먹고 비운 플라스틱 통들은 일주일에 한 번 재활용 쓰레기 걷을 때 얼른얼른 버리면 좋으련만 언젠가는 요긴하게 쓸지 모른다는 미련 때문에 선뜻 버리지 못하고 부엌 한쪽에 쌓아 놓는다. 이 방면에서만은 난 피난민 세대에 속하나 보다. 그 밖에도 찬장 속에 먼지를 쓰고 들어차 있는 유리컵이나 찻잔들은 거의 다 사은품으로 받아 온 것들이다. 사은품을 준다 하면 한 병을 다 먹는 데 반년이 걸리는 인스턴트 커피도 사재기를 할 정도로 이성을 잃는다.

또 일생 멋쟁이 소리 한번 못 듣고 살았으면서 옷은 어느새 그렇게 사들였는지 내가 생각해도 잘 모르겠다. 백화점이나 큰 시장에 가 본 기억이 까맣건만 어쩌다 슈퍼마켓 한 귀퉁이에서 파는 싸구려 티셔츠나 바지들도 만만치 않은데다 몇 년 전부터는 친구 덕분에 고급옷까지 뭉텅으로 사들이게 되었다. 유명한 옷집에서 일을 하고 있는 친구는 70퍼센트 세일을 할 때마다 내게 맞는 옷을 골고루 골라 놓는다. 원래 값을 생각하면 한 벌 살 때마다 엄청 돈을 번다는 이상한 계산법에 따라 1년에 두어 번씩 꼬박꼬박 사들이는 옷으로 안방이 넘쳐난다. 요즘에는 건강을 핑계로 공식적인 일을 거의 안 하기 때문에 그 옷들을 입을 기회가 거의 없는데도 한번 맛들여 놓으니 끊기 어렵다. 세일할 때 안 사면 나만 손해 보는 기분이 들어 악착같이 달려가 하나라도 건져 온다.

책에 이르면 온 식구가 공범이다. 내 연구실이 따로 없는데다가 어렸을 때부터 책 사는 돈은 아끼지 말라고 주입시킨 탓인지 아이들 모두 책 사는 덴 프로급이다. 이 집에 온 후 두 아이가 각기 독립할 때마다 자기 책을 실어 갔는데도 그 떨이들이 만만치 않다. 기존의 책만으로도 집이 포화상태인데 설상가상으로 남편까지 새로 공부에 취미를 붙이면서부터 이젠 완전히 구제불능이다.

각종 월간지나 계간지만이라도 보자마자 버리면 그래도 좀 나으련만 50대는 어쩔 수 없이 활자매체에 진한 애정을 가진 세대가 아닌가. 다섯 종류나 되는 주간지도 몇 달씩 묵혔다가 마지못해 버리는 사람들이니 말해 무엇하랴. 이젠 낡아서 부스러질 것 같은 세로쓰기 문고본조차 아직도 끼고 있다.

그래, 이번엔 다 버리자. 버리고 또 버리자. 어차피 다 버리고 갈 텐데 미리 버리는 연습을 해 봐야지. 하지만 이사할 날이 다가올수록 마음이 흔들린다. 그래도 저건 가져가야지, 책도 버리고 나면 꼭 봐야 할 일이 생기더라. 저 큰 양푼도 최근 몇 년 동안 안 써서 그렇지 앞으로 한 번을 써도 언젠가는 꼭 쓸 때가 있을 텐데……. 낡은 것에는 추억이 어려 있고 새것에는 아까운 마음이 앞선다.

그래도 제일 쉽게 버릴 수 있는 품목은 옷이었다. 또 옷은 버려도 쓰레기장으로 직행하는 게 아니라 여러 곳에서 필요로 하는 사람들이 있다고 하니 마음이 가벼웠다. 항아리나 다듬잇돌, 재봉틀 같은 물건들은 비록 추억이 서려 있다곤 하지만 그동안의 내 살림 스타일 상 앞으로 단 한 번도 쓰임새를 찾지 못하리라는 확신이 들었기 때문에 과감히 버릴 수 있었다. 대형 소쿠리나 체, 절구 같은 부엌용품도 마찬가지였다. 결혼할 때 장만했던 두꺼운 이불들을 버릴 때도 아쉬움은 없었다. 그런데 그뿐이었다. 다른 물건들에 대해서는 선뜻 결정을 내릴 수가 없었다. 다 버리자고 그렇게 다짐을 했는데 물건마다 나에게 데려가 달라고 매달리고 있었다. 이렇게 손때가 묻은 것들을 가차없이 버린다는 건 어쩌면 죄가 아닐까 하는 생각까지 들었다.

버리기가 사들이기보다 백 배는 더 어렵다. 그래서 난 마음을 바꾸었다. 내가 갖고 있는 물건들 중에서 버릴 것을 고를 게 아니라 지닐 것을 고르는 편이 낫겠다고. 이삿짐 센터 사람들이 오면 막판에 꼭 가지고 가야겠다는 마음이 생기는 물건만 포장해 달라고 부탁해야겠다고. 나머지는 버리는 게 아니라 두고 간다고 생각하자고.

아마 꼭 갖고 갈 물건은 4분의 1 정도면 너끈할 거다.

가볍게 살아야지.

8장 │ 길 위에서

2001. 6. 14
윤원석남

다시 연변에 가다

인정하긴 싫지만 7년 사이에 나는 20년만큼 나이 들어 버렸나 보다.
아니면 7년 전의 내가 생물학적으로는 48세였지만 심리적으론 청년이었을지도
모르지. 아무튼 한 가지 확실한 사실은 그 경험을 해 본 것은
하지 않은 것보다 훨씬 멋진 일이었다는 거다.

지나간 나이는 항상 젊다. 2000년도 거의 끝나갈 무렵이었던 12월 중순 심양공항 커피숍에 앉아 연길(延吉) 가는 비행기를 기다리고 있자니 새삼 연변에 머물렀던 기억이 바로 어제처럼 떠올랐다. 93년에서 94년까지니까 햇수로는 무려 2년 동안이었지만 정확하게 따지면 열 달 남짓 나는 혼자 연변에서 살았다.

오랫동안 가족과 떨어진 것도 처음이었고 외국에서 산 것도 처음이었던 만큼 그 열 달은 내내 긴장과 흥분의 나날들이었다. 나의 타고난 호기심은 낯선 사람들과 새로운 풍광을 맞으면서 맹렬히 타올랐다. 또

한 내가 할 만한 일이 눈에 보이자 신이 나서 그곳 여성들과 힘을 모아 결국 성사시켰다. 그런 나의 모습은 만나는 사람들에게 내 나이에 대한 궁금증을 일으키게 했는지 정말 열심히도 그들은 다짜고짜 내 나이부터 묻곤 했다. 그리곤 "그 연세에……"라며 입을 다물지 못했다.

'그 연세에……' 라는 말을 들으면 완전히 할머니 취급을 받는 기분이었지만 나는 "아주 좋은 나이죠."라며 여유 있게 받아넘겼다. 당시 나는 만약 마흔여덟이라는 나이가 아니었다면 이런 경험을 도저히 할 수 없었을 거라고 굳게 믿고 있었다. 마흔여덟 살은 무슨 일을 저질러도 크게 잘못될 것도 없고 후회될 일도 없는 나이라고 생각했다.

이제 와 뒤돌아보니 그것이 불과 7년 전 일이라는 사실이 도저히 믿기지 않는다. 마치 20년도 더 지난 일 같기만 하다. 만약 그때로 돌아간다면 절대로 같은 선택을 되풀이하지 않을 것 같다. 어떻게 그렇게 겁도 없이 아이들 다 팽개치고 그 척박한 곳을 가겠다고 나섰는지, 어떻게 아무런 보상도 바라지 않고 그토록 무모한 짓을 저지를 수 있었는지 스스로도 놀랍기만 하다.

인정하긴 싫지만 불과 7년 사이에 나는 20년만큼 나이 들어 버렸나 보다. 아니면 7년 전의 내가 생물학적으로는 마흔여덟이었지만 심리적으론 청년이었을지도 모르지. 아무튼 지금 다시 해 보라면 절대로 못할 경험이지만 한 가지 확실한 사실은 그 경험을 해 본 것은 하지 않은 것보다 훨씬 멋진 일이었다는 거다.

동행들은 연변이 얼마나 변했는지 궁금하지 않느냐고 물었지만 솔직히 그동안 연변은 궁금해하기에는 너무 많이 알려져 버렸다. 매스컴을 통해서나 혹은 인편을 통해서 연변의 소식을 전해 들으면서 늘 마음 아팠던 건 좋은 소식보다 안 좋은 이야기들 일변도라는 사실이었다. 연길의 서울 변두리화, 그리고 그곳 사람들의 코리안 드림 등 어떻게 보면 연변은 한국과 길을 트면서 자꾸 나빠져만 가는 듯한 인상을 주고 있다. 연변의 특성이 나날이 죽어 가고 연변 사람들의 자존심에 상처만 커져 가는 것 같아 나는 차라리 연변에 대한 기억을 잊는 쪽이 마음 편했다.

하지만 이번 연변행에서는 처음 내가 그곳을 향할 때의 설렘이 어느 정도 되살아나고 있었다. 많은 사람들이 바라듯이 나도 연변이 남과 북을 이어주는 마당이 되면 참 좋겠다는 생각을 하고 그곳에 갔었다. 또 그 일을 여성들이 훨씬 잘할 수 있으리라고 믿었었다. 그래서 북한여성과 남한여성이 만나는 장을 여는 데 연변여성들이 적극 나서 주기 바랐다. 순조롭게도 94년 여름, 조중한 여성학술회의란 명목의 첫 만남이 예정되었다. 하지만 북경에서 김일성 주석 사망이라는 뉴스를 들어야 했고 회의는 무기한 연기되고 말았다.

그리고 7년 만에 다시 회의가 이루어진 것이다. 나는 수술 이후 1년 이상 몸에 대한 자신감을 회복하지 못하던 상태라 해외여행은커녕 국내여행조차 삼가던 터였다. 조금만 과로한다 싶으면 금방 피로감을 느꼈기 때문에 여행을 떠난다는 것이 지레 부담스러웠다.

하지만 내 연변 체류의 기획자였던 장필화 선생으로부터 이번 회의에 대한 이야기를 듣자마자 완전히 잦아들은 줄만 알았던 호기심이 피어올랐고 장 선생은 이내 내 마음을 알아채고 동행을 권유했다. 변덕이 죽 끓듯 한다고 막상 제안을 받자 나는 또 건강을 핑계로 뒷걸음질 쳤다. 그러나 이번 여행이 컨디션을 전환시켜 줄 계기가 될 수 있지 않겠느냐는 장 선생의 말에 설득당하기에 앞서 이미 여행의 매력은 너무 컸다.

학술회의의 제목은 '중조한 청소년 교육과 양성'으로 잡혀 있었는데 주제가 무엇이든 내게는 아무 상관없었다. 일단 남북한 여성들이 만나 이 땅에서 여성으로 산다는 것의 의미를 함께 반추해 보는 기회를 갖는다는 게 중요했다.

7년 전과 비교했을 때 연변여성들은 놀랄 만큼 변해 있었다. 우선 외모와 옷차림이 아주 화려했다. 그리고 회의진행에 있어서도 그동안 상당한 노하우가 쌓였음을 느낄 수 있었다. 그들은 자신들이 나서서 회의를 성사시켰다는 데 대한 자부심을 숨기지 않았으며 자기들을 키워 준 게 나라며 겸손을 부릴 만큼 여유만만했다. 그들의 그런 태도가 옛 손님에 대한 의례적인 인사치레임을 알면서도 나는 기분이 그럴듯했다.

북한 팀은 김일성종합대학 교수 3명과 지도원 1명으로 단출했다. 해외여행을 자주 다닌 듯한 젊은 지도원은 화려한 차림이었던 반면 세 여성교수들은 소박한 차림새였다. 그들 모두 해외여행은 처음이라고 했다.

이틀간의 공식회의는 짐작한 대로였다. 북한여성들의 발표문은 우리가 이미 예상한 내용이었고 결론 역시 예상한 대로 오직 하나였다. 하지만 연변의 청중 사이에서 간간 웃음소리가 들렸을 뿐 우리들 중

230

아무도 얼굴을 찡그리지 않았다. 연변여성들은 북한여성들에게서 자신들의 과거를 보는 것 같다면서 우리가 듣기에 위태로울 정도로 직설적인 발언들을 하였다. 북한여성들은 수동적인 방어 이상의 반응을 보이지 않았다. 그야말로 말로만 되풀이했던 연변의 중요성이 현실에서 재확인되는 시간이었다. 그것만으로도 회의는 성공이었다.

우리가 기대한 건 이틀 동안의 만찬 시간이었다. 연변여성들의 저력이 최고로 발휘되는 곳이 바로 만찬장이라는 걸 난 오래전부터 알고 있었다. 아무에게나 마이크를 들이대도 그들은 노래 잘하고 춤 잘 추고 말 잘하는 뛰어난 엔터테이너들이다. 거기 비하면 남한여성들은 너무 수줍거나 노는 데 서툴다. 북한여성들도 비슷한 것 같았다. 다만 우리 팀은 인원이 열두 명이나 되었기 때문에 개성도 그만큼 다양하게 표출되었다.

만찬장의 분위기는 북한여성들의 긴장을 풀어 주기에 충분했다. 하지만 처음부터 대화가 술술 이루어질 순 없었다. 서로의 심기를 건드리지 않는 주제를 끄집어내야 했다. 이런 경우 내 경험으로는 아이 키우는 이야기처럼 적절한 게 없었다. 이번엔 거기다 한 가지 더, 건강에 관한 이야기가 좋을 것 같았다.

이미 연변여성들로부터 내가 아이들 셋을 어느 대학에 보낸 엄마라고 들었기 때문인지 북한여성들은 큰 관심을 보였다. 그리고 몸이 안 좋다고 계속 엄살을 부린 것 ― 좀 과장하긴 했지만 ― 도 그들의 마음을 누그러뜨린 것 같았다. 자기의 약점 ― 공식회의의 토론 시간에 젊은 지도원이 무심코 자신의 위장에 문제가 있다는 말을 하곤 곧 그 말을 취소해 달라고 한 것을 보면 몸이 안 좋다는 게 대외적으로 큰 약점이 되는 것 같았다 — 을 드러내 보이는 사람에겐 누구나 너그러워지는 법이니까.

그들은 우리 팀 중에 네 명이 결혼을 안 했다는 사실을 알아내곤 일종의 충격을 받은 것 같았다. 궁금해서 못 참겠는지 내 귀에 대고 속사포처럼 물어 댔다. "아무개 선생(그들은 성을 빼고 이름만 붙여 아무개 선생이라고 부르는데 난 그 호칭이 아주 정감 있게 들린다)은 아주 곱게 생겼는데 왜 시집을 못 가는가?"

사회주의 사회에서는 여성이 독신으로 사는 경우가 거의 없기 때문에 개방 초 연변여성들도 그런 질문을 자주 했었다.

나는 결혼은 이제 필수가 아니라 선택의 문제이며 자기 일을 가진 여성의 경우엔 특히 그렇다고 대답했다. 그들은 "혜란 선생은 사업에서도 성공하고 가정에서도 성공하지 않았느냐."라고 내 대답에 수긍할 수 없다는 표정을 지었다. 생면부지의 북한여성에게 성공한 여성상으로 비쳐진 이유는 순전히 공부 잘하는 아이들을 두었다는 이유 때문이었다. 교육열 높은 한민족답게 그들에게도 역시 여성의 성공은 아이 키우기에 의해 결정나는가 보았다.

그러나 두 번째 날 만찬장에서 버스를 타고 돌아오는 도중 내 옆에 앉았던 50대 북한여성은 충격적인 발언으로 나를 놀래켰다. 어젯밤 조용히 인생을 뒤돌아보니 여자들도 사업을 더 잘하려면 결혼을 안 하는 것이 낫겠다는 생각이 들더라는 것이다. 이렇게 짧은 시간에 의식이 바뀔 수 있다니. 하지만 의식이 바뀐 게 아니라 자신의 생각에 솔직해진 거라고 봐야 맞을 것이다. 그 자리에 오르기까지 여성으로서 짊어져야 했을 이중부담은 또 얼마나 컸을까.

서로의 어머니에 대한 이야기를 나눌 때 그는 흘낏 자신의 어머니의 일생에 대해 짙은 연민을 내비쳤다. 하지만 내가 동감한다는 표정으로 그 다음 말을 기다리자 이내 자기 어머닌 노후를 아주 잘 지낸다면서 얼버무렸다. 난 나보다 한 살밖에 더 먹지 않았음에도 마치 10년은 더 늙어 보이는 그가 처음부터 안쓰러웠다. 그의 살 한 점 없이 삐쩍 마른 몸은 그가 살아온 50여 년의 인생을 고대로 드러내 주고 있었다.

헤어지는 날은 눈물바람이었다. 이틀 동안 어떻게 이렇게 정이 들 수 있을까 정말 불가사의한 일이었다. 우린 그들의 굳은 표정, 딱딱한 말투 뒤에 숨은 맑고 부드러운 심성을 보았기에 어느새 그들을 사랑했었던가 보았다.

전날 밤 우린 다 함께 노래했다. 우리 만남은 우연이 아니야.

도요나가에서의 닷새

난 그들에게 아무 도움도 줄 수 없었다.
일본여성들과의 연대가 필요하다고 생각하면서도 민족 간의 갈등을
의식해야 하는 그들의 고충이 내 일처럼 안타까웠지만
난 어디까지나 이방인일 뿐이었다.

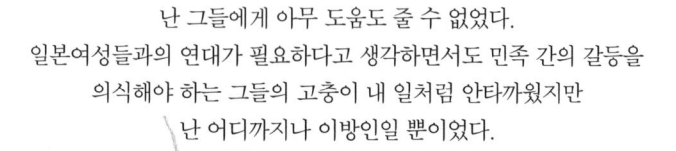

'자매'라는 이름이었다. 오사카를 중심으로 그 근교에 사는 재일동포 2, 3세 여성들이 자발적으로 모여 여성 문제를 토의하고 친목을 다지는 모임이었다. 대학이나 사회단체와 아무 연계 없이 순전히 전업주부와 회사원들만으로 구성된 순수 아마추어 그룹이었다. 자기들끼리 페미니즘을 공부하다 보니 한계를 느껴 3년 전부터는 외국의 여성학자들을 초청해서 워크숍을 열어 왔다고 했다.

2001년의 워크숍 주제를 '여성으로 살아가기, 재일여성으로 살아가기'로 정한 후 강사를 물색하다 나와 연결되었다. 우선 행사 반년 전에

연락을 해 오는 그들의 기획력에 호감이 갔다. 또한 재일 1세 여성의 삶은 막연하게나마 알 것 같은 데 반해 그 다음 세대 여성들은 과연 어떻게 살고 있는지 전혀 지식이 없던 터라 억누를 수 없는 호기심이 솟아났다.

혼자 여행을 한다는 것에 서서히 자신감이 붙는 중이었기 때문에 선뜻 도요나가행을 결정했다. 내가 누구인지 알리는 데 도움을 주기 위해서 우선 내가 썼던 책들을 보냈다. 세 권 중에서 그들은 역시 중국 체류기인『변경에서의 1년』을 인상 깊게 본 것 같았다. 얼마 있다 자기들이 제작한 팸플릿을 보냈는데 강사인 나를 소개하면서 연변에 갔던 일에 대해 상당히 과장스런 표현을 동원했다. 누가 볼까 봐 어찌나 민망했는지 모른다. 뭐랄까. 일종의 국제 사기꾼이 된 기분이랄까. 일본 내 소수민족으로 살아가는 데 늘 정체성의 혼란을 느끼는 그들로서는 중국 내 소수민족인 연변동포들과 함께했던 나의 경험이 아주 흥미롭게 여겨졌나 보았다.

3월 15일, 오사카로 직접 갔으면 피로가 덜했을 텐데 전날 도쿄 근교의 조사이 국제대학에 들르는 바람에 강행군을 해야 했다. 처음에는 거기서 열리는 한일여성학대회에 참여하기로 계획했었지만 날짜 조정이 잘 안 되어 옵서버로 잠깐 구경만 하고 가기로 한 것이다. 대회 자체보다는 내가 평소 호감을 갖고 있는 참석 멤버들과 하루만이라도 같이 있고 싶어서 욕심을 부린 건데 결과는 참혹했다. 혼자 신간센을 타고 도쿄에서 오사카까지 가는 3시간 동안, 난 완전히 그로기 상태였다. 그냥 그대로 우리 집 안방에 가 있는 기적이 일어나기만을 간절히 바랐다. 가족들의 얼굴이 오락가락했다. 그놈의 호기심이 사람 죽이는 군 싶었다.

저녁 무렵의 오사카 역은 붐볐다. 출입구가 여러 군데라 한참을 헤매다가 겨우 마중나와 있던 두 여성을 만났다. 그들의 반기는 표정을 보자 내 몸은 돌연 생기를 찾았다. 이 젊은 재일여성들은 도대체 무얼 얻겠다고 나를 이렇게 반가워하는 걸까. 이미 사그라들어 버렸다고 생각한 투지 같은 것이 다시 꿈틀거리는 느낌이었다.

그들은 겸손하고 상냥했다. 워낙 예산이 빠듯해 숙소가 너무 누추하니 양해해 달라며 몇 번이나 사죄를 했다. 숙소인 아이보리 호텔은 강연장이 있는 도요나가의 역 부근이었는데 외양은 아담하고 산뜻했다. 객실 문을 연 순간 난 아, 이게 바로 일본이구나 새삼스러운 기분이었다. 벽만으로 이루어진 방. 공간이 사라진 방 같았다. 어떻게 이렇게 작은 방을 만들 생각을 했을까. 가 본 적은 없지만 캡슐텔이란 이름이 저절로 떠올랐다. 전날 밤을 보냈던 죠사이 대학의 객실은 이에 비하면 가히 왕실 수준이었다. 욕실도 내가 요즘 몸이 말랐으니 망정이지 2년 전만 같아도 몸을 들여놓는 것조차 불가능할 것 같았다.

2박 3일의 일정은 빡빡했다. 첫날은 일본·한국·재일 여성 모두에게 공개하기로 짜여 있으나 나중 이틀은 재일여성들만 대상이었다. 시간은 아침 10시부터 오후 4시 반까지로 거의 하루 종일을 잡았다. 페미니즘과 민족은 그들에게 그만큼 절박한 주제였다.

'자매' 멤버들은 "민족을 강조하는 남성일수록 가부장적이다."라는 나의 말에 환호를 보냈다. 첫날 오후의 워크숍에서 재일여성들은 자신들이 당면한 문제의 핵심이 바로 그것이라고 흥분했다. 젊은 재일남성도 1세대와 마찬가지로 대부분 보수적이며 그것을 민족적 전통이라고 주장한다는 것이다. 게다가 여성으로서 주체적으로 살고 싶어하는 그들의 움직임에 대해 못마땅해하는 사람들은 남성들만이 아니었다. 그들은 민족운동을 하는 여성들로부터 국적 없는 페미니스트라는 질책을 당하고 있었다. 또한 일본여성과 깊은 우정을 맺고 있는 여성들은 늘 자신이 민족을 배반하고 있다는 죄의식에 시달리고 있다고 그들은 고백했다.

여성과 민족의 갈등은 첫날 강의가 끝난 후 이루어진 첫 번째 워크숍에서도 적나라하게 드러났다. 서른 명쯤 되는 여성들이 둘러앉아 일단 자기 소개를 하면서 자신에게 당면한 여성 문제를 간략하게 털어놓는 순서로 들어갔다. 대부분은 재일여성이었지만 중국, 한국, 그리고 일본 여성도 한두 명씩 섞여 있었다.

30대에서 50대에 이르는 연령대의 참석자들은 3분 이내로 제한한 그 짧은 시간 동안 너무나 다양한 경험과 의식을 보여 주었다. 어느 곳에서나 여성들은 자신의 어머니와 다르게 살고 싶어한다는 것, 그리고 시중 드는 삶에서 벗어나 보다 주체적으로 살려는 욕구가 강하다는 걸 확인할 수 있었다. 일본여성의 문제가 여성으로서의 정체성 확립에 관한 것이었다면 재일여성들은 그 위에 민족적 정체성의 혼란이란 문제가 덧씌워 있었다.

한 일본여성이 '시중 드는 여성의 삶'에 대한 울분을 표명하자 대부분은 머리를 끄덕이며 동감을 나타냈다. 그러나 민족운동을 하고 있다고 자신을 소개했던 한 재일여성은 즉시 격앙된 어조로 공격하고 나섰다. 너희들이 아무리 괴롭다 해도 우리 재일여성만큼 괴로우냐, 너희들은 우리의 가해자다. 이어서 그는 내게로 화살을 돌렸다. 당신이 말하는 페미니즘은 일본 여성학자들이 말하는 것과 내용이 똑같다, 그건 국적 없는 페미니즘이다.

이후 참석자 사이에는 치열한 논쟁이 일었다. 일본여성이 이런 모임에 나온 것은 큰 용기가 아니면 불가능한 일이다. 이제는 재일여성도 피해의식을 벗어나 한 단계 나아간 관계를 맺을 때가 아니냐 하는 의견이 지배적이었다. 하지만 민족적 정체성을 강조하는 사람들에게 그런 말은 반민족적 행위 이외에 아무것도 아니었다.

재일여성들 사이에서 '자매'가 어떤 자리를 차지하는지 한눈에 보였다. 난 이 젊은 재일여성들이 이런 분위기에서도 모임을 꾸준히 이끌어 왔다는 사실에 큰 감동을 받았다. 나머지 이틀의 워크숍은 거의 그들만으로 진행되었기 때문에 여성 문제에 대한 보다 깊은 논의가 가능했다.

그런데 그들은 재일동포 사회가 과거에 묶여 있다고 안타까워하면서도 한국 사회는 일본보다 훨씬 더 봉건적인 사회라는 인식을 갖고 있었다.

내가 개인적인 경험을 예로 들어 가며 최근 여성부 신설에 이르기까지 한국의 여성운동에 대해 간략히 설명하자 그들은 한국여성의 이미지에 혼란을 느끼는 모양이었다. 그들이 생각하는 한국여성들은 첫째, 자녀교육에 목숨을 건 엄마요, 둘째, 조그만 아파트에서도 으레 파출부를 쓰는 게으르고 사치한 주부들이었다. 일본여성들은 아주 예외적인 경우를 빼놓으면 파출부를 쓴다는 걸 상상도 못한다. 또 재일여성들은 자녀교육에 대해서는 아주 현실적이다. 아마 교육을 받아도 취업상 차별을 당하기 때문에 눈높이가 낮아진 게 아닌가 싶다.

닷새 동안 잠자는 시간을 빼놓고 모든 시간을 '자매' 멤버들과 대화를 나누는 데 썼다. 그들은 날 깍듯이 선생님 대접을 했지만 난 그들이 마치 막내 동생처럼 살가웠다(솔직히 진짜 막내 동생에게 난 무뚝뚝하고 정 없는 언니이다).

그렇지만 난 그들에게 아무 도움도 줄 수 없었다. 일본여성들과의 연대가 필요하다고 생각하면서도 같은 동포의 시선을 의식해야 하는 그들의 고충이 내 일처럼 안타까웠지만 난 어디까지나 이방인일 뿐이었다. 다만 재일 한국인으로서의 정체성을 새로이 세우는 일은 남성이 아니라 이런 새로운 여성들에 의해서 가능하다고 격려하는 게 고작이었다.

도요나가에서의 닷새 동안 내가 그들에게서 느낀 것을 한마디로 표현한다면 그들은 어머니 세대와 다른 삶을 살고 싶은 욕구가 강하다는 점이었다. 그들의 어머니 세대는 대부분 경제적인 고통과 폭력적인 남편 때문에 일생을 고달프게 살았다고 했다. 아버지의 폭력은 번번이 민족적인 울분 때문이라고 너그럽게 용인되어 왔다. 그들은 아버지에 대해 연민보다 분노를 느끼는 듯했다. 또 그들의 어머니는 며느리에게 희생적인 삶을 강요함으로써 늦게나마 자신의 인생을 보상받으려 하기 때문에 고부갈등이 심한 경우가 많았다.

하지만 이제 젊은 재일여성들은 더 이상 피해의식에 젖어 살고 싶어 하지 않는다. 그들은 앞을 보고 싶어한다.

도요나가에서 돌아온 지 몇 달 후 그들은 자기들끼리 가진 후속 토론회에서 나온 내용을 자세하게 적어 보냈다. 결론은 밝았다. 개인적인 분노는 인정하지만 개인에게 표출하지는 말자는 것, 이젠 서로 차이점을 인정하며 자꾸 만남의 기회를 가져야 할 때라고 했다.

어쩐 일인지 교과서 문제를 비롯해서 올해는 유난히 한일관계가 삐걱거린다. 새로운 이슈가 불거질 때마다 내 마음은 도요나가로 달려간다. 그 젊고 똑똑하고 상냥한 여성들이 또 얼마나 상처를 받을지. 그리고 또 어떻게 극복해 나가고 있는지 궁금하다.

아카디아로 가는 길

저 멀리서 등댓불이 반짝이고 있었다. 평화로움 그 자체.
우리는 각자의 감정에 몸을 맡긴 채 쉴 새 없이 떠들고 웃었다.
나는 아주 오랜만에 쫓기는 기분에서 벗어났다. 무엇이 나를
그렇게 쫓기게 했는지 기억도 할 수 없었다. 이렇게 안온한걸.

처음엔 무슨 관공서 건물인 줄 알았다. 도로변의 뜨문뜨문 자리잡은 집 마당마다 어김없이 성조기가 휘날리고 있었다. 그러나 아무 간판도 보이지 않는 걸 보니 가정집들이 분명했다. 우리 나라로 치면 거의 벽지에 가까운 이런 촌구석에서조차 날마다 자기 집 마당에 성조기를 게양하는 이 사람들의 애국심이 경이롭다.

하긴 며칠 전 보스턴 팝스 콘서트에서도 마지막 연주가 끝나는 순간 무대 전면에 대형 성조기가 위에서부터 아래로 쫙 하고 펼쳐지는 광경을 목도했다. 우리 같으면 실소를 터뜨렸음 직한 장면에 홀을 가득 메

운 성장한 보스턴 사람들은 마냥 즐거운 표정으로 손뼉을 치며 환호를 보냈다. 그들이 단순한 건지 내가 꼬인 건지 아무튼 미국 사람은 나랑 많이 다르구나 새삼스러웠다.

보스턴을 떠나 북쪽 길을 따라, 메인 주에 있는 아카디아란 섬으로 향하는 길이었다. 원래는 나이아가라 폭포를 보고 싶었다. 그러나 미리 예약을 안 한 데다 성수기인 탓에 그곳까지의 비행기 값이 너무 비싸서 계획을 바꾸었다. 한편으로는 유명한 관광지보다는 보다 더 미국적인 풍광을 맛볼 수 있는 곳을 가 보고 싶은 마음도 있었다.

일행은 넷. 우리 부부와 큰애 내외였다. 1년 만에 만나는 아이들은 예상했던 대로 아주 느긋하게 잘 살아가고 있었다. 만나기 전까지는 오래 헤어졌던 기분이었는데 만나자마자부터는 한 번도 헤어져 있었다는 생각이 들지 않았다. "그러니 사랑하는 사람끼리는 결혼을 하면 안 돼."라는 말이 뜬금없이 튀어나왔다. 그리운 사람들끼리는 그냥 그리워할 때가 행복한 거지 만나는 순간 그리움이 사라져 버린다는, 하나도 새로울 것 없는 말이었는데 정작 내 입에서는 어떻게 들으면 황당하기 짝이 없는 말로 동시통역이 되어 나온 것이다. 더구나 신혼의 아들 내외를 앞에 두고. 요즘은 가끔 가다 내가 들어도 놀랄 말들이 나도 모르게 튀어나올 때가 있다. 혹시 치매의 전조?

말 그대로 룸메이트처럼 오순도순 지내는 그 애들을 보니 새삼 나의 신혼생활이 떠올랐다. 재미있었던 기억은 하나도 떠오르지 않고 고생하던 일만 생각났다. 석유 곤로에 그을려 시커매진 밥솥을 닦던 일, 지하실에서 연탄 아궁이와 힘겹게 씨름하던 일, 얼음처럼 찬 물로 빨래를 하던 일, 매일 밤 술 취해 돌아오는 남편을 기다리던 일 등. 떠오르는 장면 장면마다 눈물 없이는 볼 수 없는 비극영화다…… 아니, 이거 내가 주책맞게 얘들 샘내는 거 아냐?

아무튼 우리 아이들뿐만 아니라 젊은 사람들 사는 걸 보면 우리 젊었을 때보다 훨씬 재미와 여유를 누리며 사는 것 같아 보기 좋다. 그들은 또 그들 나름으로 우리가 생각 못할 고민이 있겠지만.

락포트나 세일럼 등 보스턴 근교의 가 볼 만한 곳들은 며칠 전에 이미 구경을 했다. 푸른 바다와 하얀 집들이 어우러져 어디라 할 것 없이 그림엽서 같은 풍경을 연출하고 있었다. 가는 곳마다 조용하고 깨끗했으며 집도 사람도 궁핍한 구석이 엿보이지 않았다. 그러고 보니 신기한 건 내게 있어서 미국에 대한 전체적인 인상은 한마디로 조용하다는 것이다. 뉴욕조차 서울보다 훨씬 조용한 느낌이었다. 서울은 도심은 물론이고 외곽의 아파트 동네까지 시끌벅적에서 벗어나지 못하는 것 같다.

점심을 먹으러 도로변 햄버거 집에 들렀다. 이상하게 얼굴이 따가운 느낌이 들어 돌아보니 소위 유색인종이라곤 우리 일행이 전부였다. 어린아이들은 노골적으로 눈을 똥그랗게 뜨고 빤히 쳐다보았다. 도시에선 그렇게 흔히 볼 수 있었던 흑인이나 동양인이 여기선 아주 드문 존재인 것 같았다.

그들도 이제까지 보아온 미국인들과 달랐다. 세련되고 예리해 보이던 뉴요커들이나 어딘지 지적인 자만심을 감춘 듯한 보스턴 사람들과 달리 그들은 굼뜨고 펑퍼짐해 보였다. 그들의 여유롭고 권태로운 외모와 표정은, 우린 마음대로 먹고 편하게 생각하는 사람들이오, 라고 말하고 있었다. 21세기와는 아무 상관없이 보였다.

풍경도 사람들을 닮아 있었다. 끝없이 시야에 펼쳐지는 초록은 평지도 아니요 험산도 아니었다. 그냥 길 닦기 좋을 만큼 오르락내리락 구릉을 이루고 호수가 곁들여 기가 막힌 전망이다 싶은 곳에는 어김없이 하얀 집이 들어앉아 있었다. 물론 마당에는 성조기가 펄럭거리고.

넓기로야 중국도 만만치 않지만 중국의 땅에서는 왠지 척박한 기운이 느껴졌었다. 오랜 세월을 두고 사람들한테 기를 몽땅 빨아먹힌 그런 느낌이었다. 그런데 미국 동쪽, 바다를 따라 북으로 가는 길에서 나는 땅을 통해 수확을 거두지 않더라도 땅 그 자체만으로도 얼마나 풍요로운 기운을 뿜는가 확인할 수 있었다.

정말 혜택받은 사람들이다. 난 운동권도 아니면서 이제까지 미국에 대해서 막연한 적대감 같은 걸 품고 살아왔다. 미국인이 누리는 경제적 풍요가 매우 부당하게 여겨졌고 그들이 내 몫을 빼앗아 간 게 아닌가 싶기도 했다. 70년대 중반 한바탕 이민바람이 불었을 때도 난 온 국민이 다 빠져나가도 나만은 절대로 미국에 가지 않겠다는 결심까지 다 했었다.

하지만 지금 난 그들이 부자나라의 국민이라서가 아니라 풍요로운 자연의 주민(주인이 아니라)이라는 사실이 너무 부럽다. 땅도 바다도 하늘도 그냥 아름답다는 표현으론 한참 모자란다. 그것은 그 속에 사는 사람들의 삶을 알차게 채워 줄 무언가를, 이를테면 생명의 기를 끊임없이 뿜어 주는 것같이 보인다.

244

북으로 올라갈수록 사람들은 점점 더 뚱뚱해지는 것 같았다. 겨울이 길기 때문에 필연적으로 운동량이 부족해서 오는 결과라고 했다. 그들도 다이어트에 목을 맬까. 아마도 다이어트라는 말이 있는지조차 모르지 않을까. 글쎄 나이 먹은 사람들은 그렇다 치고 10대 소녀들은 저 몸으로 어떻게 결혼을 할까 혼자 쓸데없는 걱정을 해 본다.

저물 무렵, 바다가 내려다보이는 언덕 위에 아담하고 깔끔한 호텔이 마음에 들어 그곳에 묵기로 하고 차를 세웠다. 사람 그림자도 안 보이는 듯했는데 호텔은 이미 예약이 꽉 찼다고 했다. 예약이 생활화되어 있는 나라에서 우리처럼 대책 없이 길을 떠나는 건 바보짓이었지만 우린 기꺼이 바보가 되기로 했었기 때문에 마음이 느긋했다.

이 넓은 천지에 잘 곳 없으랴 또 계속 달리다 보니 하얀 방갈로들이 길가에서부터 바닷가까지 늘어서 있어 환상적인 풍경을 연출하는 곳을 발견했다. 여기도 으레 만원이려니 싶으면서도 차를 세우고 알아보니 다행히 바닷가 바로 옆에 있는 큰 집이 비어 있다고 했다. 아마 가장 비싼 집이었기에 남아 있나 보았다.

집 안은 낡았으나 정갈했다. 주방기구들이 완벽하게 갖추어져 있었지만 우린 커피믹스 한 봉지도 준비해 오지 않은 완전 빈손이었다. 그곳을 운영하는 할머니가 가르쳐 준 식당에 가서 종업원들의 눈치를 보며 겨우 늦은 저녁을 먹었다. 이쪽은 어디나 해산물이 흔했다. 며칠 전에는 이름난 식당에서 썩은 홍합 때문에 입맛을 버리기도 했지만.

테라스에 앉아 바다 소리를 들었다. 저 멀리서 등댓불이 반짝이고 있었다. 평화로움 그 자체. 우리는 각자의 감정에 몸을 맡긴 채 쉴 새

없이 떠들고 웃었다. 나는 아주 오랜만에 쫓기는 기분에서 벗어났다. 무엇이 나를 그렇게 쫓기게 했는지 기억도 할 수 없었다. 이렇게 안온한걸.

미국에서 가장 북쪽에 있는 섬 아카디아는 제주도를 연상시켰다. 관광자원이란 측면에선 제주도가 한결 더 뛰어난 것 같다. 그러나 제주도에 갈 때마다 나는 사람들과 땅이 서로 겉돈다는 느낌에 늘 안타까웠다. 땅은 사람들 때문에 품격을 잃어 가고 있었다. 그에 반해 여기선 사람과 땅이 서로 편안하게 어우러지는 듯한 인상이다. 바하버의 그 좁은 거리에 엄청난 수의 사람들이 몰려들었지만 법석을 떤다는 느낌이 조금도 들지 않았다. 넘칠 것처럼 쏟아져 들어오는 인파는 말 그대로 파도처럼 자연스럽게 흘러왔다 흘러가는 것 같았다.

호텔 객실에서 내다보니 고래 구경 시켜 준다는 큰 범선이 막 출발하고 있었다. 갑판을 가득 메운 사람들의 얼굴은 하나같이 행복해 보였다.

그래, 그냥 행복해하면 돼. 행복하다고 생각하면 행복할 수 있는 거야.

난 크게 깨닫는 척했다. 길을 떠나면 이래서 좋다.

삶은 지속된다

무슨 일이든 한번 손에서 놓으면 다시 잡기가 보통 어려운 게 아니다. 이미 재료가 다 마련된 상태였음에도 밥상을 차리기까지 예상보다 시간이 오래 걸렸다. 봄부터 여름 내내 내 딴에는 부지런히 한다고 끙끙거렸는데 올따라 유난히 길었던 무더위가 물러설 즈음에서야 겨우 글 마무리에 들어갈 수 있었다.

글발 자체도 통 살아나지 않을 뿐더러 왜 그렇게 날마다 잡다한 일들이 많이 생기는지 컴퓨터 앞에 앉을 틈이 좀처럼 나지 않았다. 살림은 오래전에 작파했다고 생각했는데, 그래서 이젠 먹고 사는 일에선 벗어났다고 생각했는데 오히려 하루 세 끼 먹는 일이 점점 큰 문제로 부각되었다. 듣기에 따라선 배부른 투정 같겠지만 먹는 식구가 줄어든 데다 달리 크게 하는 일이 없다 보니 먹는 일이 하루의 가장 중요한 일이 되는 거였다.

아무튼 일상적인 일과만으로도 하루는 금세 채워지고 글을 쓴다는 일은 생전 해 보지 않았던 가욋일처럼 느껴졌다. 아이 셋 도시락 싸줘 가며 공부하고 글쓰고 강의하러 다니던 불과 10년 저쪽의 분망함이 통 남의 일 같기만 했다.

마무리 직전 큰일이 연달아 터졌다. 가을로 들어서자마자 한 달을 사이에 두고 내 곁에서 두 분이 세상을 떠났다. 병이 깊었던 친정 어머니와는 이미 꽤 오래전부터 헤어질 준비를 하고 있었지만 어머니보다 한 달 빨랐던 큰동서의 죽음은 정말 예기치 못한 습격이었다.

큰동서. 강함과 부드러움을 동시에 갖추었던 큰동서. 타고난 맏며느리의 이미지에서 한 치도 벗어나지 않았던 큰동서. 큰동서는 일생 과적차량처럼 혹사당한 한국의 60대 여성을 대표하는 고단한 삶의 주인공이었다.

나보다 불과 여덟 살밖에 더 많지 않은 큰동서는 첫 대면 때부터 내게는 한 세대 위의 어른으로 비쳤다. 남편과 큰아주버니의 나이 차이가 13년이나 되기 때문이기도 했지만 그보다는 큰동서의 기품 있는 태도와 나긋나긋한 말씨에 팍 기가 죽었기 때문이었다. 난 그런 여성은 드라마에서나 볼 수 있는 줄 알았다.

게다가 아무리 봐도 살림에는 젬병일 것 같은 막내며느리가 영 못 미더웠던지 시어머니는 입만 열면 큰며느리의 살림솜씨 칭찬이었는데 내가 잘 알아듣지 못할까 봐 "니는 준호네 발뒤꿈치에도 못 따라간다."는 과격한 비유법을 자주 사용하였다.

큰동서의 부덕과 능력은 생활전선에서 더욱 빛을 발했다. 큰집은 결혼한 지 얼마 지나지 않아서부터 계속 가계가 기울어 갔는데 큰동서는 넋을 놓고 한탄만 하지 않고 끊임없이 가내부업으로 살림을 지탱해 나갔다. 그러면서도 자녀교육에 남달리 신경을 썼고 제사에도 지극 정성을 쏟았다. 큰동서가 제사 음식 마련에 들이는 정성을 보고 있노라면 내가 겪는 명절 스트레스는 철딱서니 없는 짓거리처럼 여겨질 지경이었다. 큰아주버니가 노년에 접어들면서 반갑게도 큰집의 경제사정이 대폭 호전되었다. 이런 배경에는 큰아주버니의 성실성도 성실성이지만 큰동서의 근면과 정성이 결정적인 몫을 했다는 게 큰동서를 아는 사람들의 한결같은 의견이었다.

홀로 된 시어머니를 모신 지도 20년이 넘었고 시어머니가 중풍을 앓은 지도 10년이 넘었다. 나는 가끔 큰집에 들를 때마다 시어머니의 식단을 보고 속에서 아, 하는 소리가 저절로 나오곤 했다. 한마디로 완벽한 건강식단이었다. 건강하게 살려면 앞으로 일생 동안 그렇게 먹어야 한다고 수없이 보고 들었어도 나로선 도저히 해낼 수 없는 식단이다. 왜 돈이 아니라 정성이 있어야만 가능한, 바로 그런 식단 있잖은가. 큰며느리에게 노상 고마움과 미안함을 안고 살던 시어머니가 "야야, 내가 와 이리 오래 사노?"라고 한탄할 때마다 난 마음속으로 "그렇게 큰형님이 좋은 것만 해 드리니 오래 사실 수밖에 없겠네요."라고 대답했다. 큰동서는 슈퍼 우먼이었다.

항상 얼굴에 온화한 미소를 잃지 않고 완벽한 며느리 노릇을 하던 큰동서. 짐작한 대로 속으로는 곯아 가고 있었다. 의무감이 큰 만큼 속박감이 컸으며 벗어나고픈 욕구도 그만큼 컸다. 젊었을 때는 오히려 자식(며느리가 아니라)의 도리로 받아들이며 참을 수 있었지만 자신도 예순에 가까워지고 손자들을 셋이나 둔 할머니가 되자 시어머니 수

발이 갈수록 힘에 부쳤다. 몸도 힘들었지만 마음은 더 힘들었다. 나이가 들면서 지치는 기색이 뚜렷해졌다.

하지만 짐을 나눠 질 형제는 아무도 없었다. 시어머니와 성격이 가장 잘 맞는 둘째 동서는 예순이 넘어 재혼했고 이기적이기만 한 막내 동서인 나는 처음에는 바쁘다는 핑계로, 나중에는 몸이 안 좋다는 핑계로 나 몰라라 했다.

탱크처럼 튼튼했던 큰동서의 몸에 이상이 생긴 건 작년 말, 아주 간단하다는 담낭제거수술을 받으면서부터였다. 식욕이 떨어지고 체중이 줄어들자 정밀검사를 받았더니 결과는 이상 없음이었다. 암은 아니라는 말에 일단 안심했지만 기력은 나날이 눈에 띄게 쇠잔해 갔다. 그리고 몇 달 내내 종합병원을 드나들며 계속 받은 그 지겨운 검사, 검사, 검사……. 결국 병명도 밝혀지지 않은 채 눈을 감았다.

여자의 일생. 큰동서의 갑작스런 죽음은 주위 모든 사람들의 가슴을 후벼 팠다. 아내로서 시어머니로서 그리고 며느리로서의 의무에 유달리 충실했던 여성, 그러나 '나'를 완전히 죽이기에는 만만치 않게 자아가 강했던 여성으로서 큰동서가 일생 겪어 왔을 괴로움을 죽음의 시점에서 모두들 절감할 수 있었기 때문이다.

하지만 그 모든 상처도 시어머니의 참담한 심정에 비할 바가 아닐 것이다. 몸에 자신감을 잃어 가던 큰동서는 고민 끝에 시어머니를 한 종교재단에서 운영하는 노인전문 요양원에 모시기로 결단을 내렸다. 그게 부덕의 화신과 같았던 큰동서에게 얼마나 어려운 결단이었을지를 난 짐작하고도 남는다.

잠깐 동안의 나들이쯤으로 생각했던 시어머니는 불과 몇 달 만에 큰며느리를 잃자 큰 충격을 받았다. 비통해하는 시어머니에겐 어떤 위로도 소용이 없었다.

엊그제 큰동서의 49재를 치렀다. 부산에서 올라온 큰시누이를 모시고 그 다음날 어머니를 뵈러 갔다. 머리가 하얗게 센, 자매같이 닮은 모녀는 서로를 애틋한 눈길로 바라볼 뿐 별로 할 말이 없었다. 돌아오는 길에 시누이가 맥없이 중얼거렸다. "나는 지금 살고 싶은 의욕이 하나도 없다." 그렇지만 어머니 앞에서 갈 수는 없다고 했다.

친정 어머니의 죽음은 전혀 다른 느낌이었다. 친정 어머니의 임종을 못할까 봐 결국엔 휴대폰을 마련했던 나였지만 그건 괜한 짓이었다.

252

추석 사흘 후의 생일날에도 컵 케이크를 맛있게 들던 어머닌 오빠네 식구가 아버지 성묘를 간 고 짧은 사이에 혼자 숨을 거두었다. 난 그 시간에 휴대폰을 집에 두고 큰동서의 재에 참석하고 있었다.

어머니가 들으면 속상할지 모르지만 어머니의 죽음에선 여자의 일생이란 말에서 떠오르는 서글픔이 느껴지지 않았다. 비록 예기치 못한 분단으로 인해 북에 있는 부모 형제와 헤어져 살았지만 어머니는 단출하고 화목한 핵가족의 주부로서 그 세대로선 꿈도 꾸지 못한 즐거움을 누리고 살았기 때문이었다. 부부간의 애정도 각별했거니와 무엇보다 형식에 구애받지 않는 자유로운 삶을 살았다. 물론 가장 높이 평가해야 할 건 어머니의 탁월한 행복능력이다. 타고난 건지 체득한 건지 구별하기가 애매하지만 어머닌 놀라운 낙천가였다.

"우스이 지바이 무고하타(웃으니까 집안이 무고하다)!"

우리 형제들은 빈소에서 어머니가 평소에 자주 하던 그 말을 합창하곤 까르르 웃어 댔다. 어머니의 영정을 보고 있자니 말년의 고통스러워하던 어머니는 금방 잊혀지고 목청 높여 잘 웃던 그 어머니만 남았다. 상가는 시종 그렇게 즐거운 분위기였다.

물론 날이 갈수록 어머니에 대한 기억이 새록새록 떠오르는 건 어쩔 수 없다. 나는 좋은 딸이 아니었다. 어머니에 대해서 끝까지 잘 모르는 채 떠나보냈다는 아쉬움이 자꾸 커져 간다. 그렇지만 어머니만큼만 살다 가면 한세상 잘사는 거라는 믿음만큼은 변함이 없다.

　사랑하는 사람들이 곁을 떠나가도 남은 자의 삶은 지속된다. 왜 사느냐는 물음은 필요없다. 그냥 살아가는 것일 뿐.

2001년 10월 22일

박혜란

여성학자 박혜란 생각모음

나이듦에 대하여

2001년 11월 26일 초판　1쇄 발행
2002년　3월　5일 초판 11쇄 발행

지은이 | 박혜란
펴낸이 | 윤석금
펴낸곳 | (주)웅진닷컴
주소 | 서울시 종로구 인의동 112-2 웅진빌딩
편집부 | 3670-1853, 영업부 3670-1862~6
인터넷 홈페이지 | http://www.woongjin.com
출판등록 | 1980년 3월 29일 제1-a0352호

주문처 | 한국출판유통(주)(일원화공급처)
전화 | 031-945-1001~2
팩스 | 031-945-0412~3

편집이사 | 박익순
편집장 | 이미혜
편집 | 이수미, 김형보
본문디자인 | 명희경
교정 | 차은선
마케팅 | 임종훈
사진 | 이은숙
제작 | 홍윤기
조판 | 장은아트라인

ⓒ 박혜란 2001
저자와의 협약에 의해 인지는 붙이지 않습니다.

ISBN 89-01-03488-3

보내는 사람

이름 　　　　　　　　　(만　　　세)　□남 □여

통신 ID　　　　　　　　E-mail Add.

직업　　　　　전화

주소

□□□ - □□□□

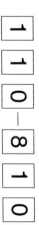

우 편 엽 서

우편요금
수취인 후납 부담

발송유효기간
2000.10.15～2002.10.15
광화문우체국 승인
제1493호

주식회사 웅진닷컴

서울특별시 종로구 동숭동 199-16
웅진빌딩 단행본개발부

┌─┬─┬─┬─┬─┐
│ 1 │ 1 │ 0 │ - │ 8 │ 1 │ 0 │
└─┴─┴─┴─┴─┘

WOONGJIN

편집부 3670-1853~5
영업부 3670-1861~6

독자카드

이 엽서를 보내 주시면 '웅진 독자회원' 이 되십니다. 회원에게는
신간정보 및 부정기간행물을 보내 드립니다. 여러분의 성의 있는
답변은 좋은 책을 펴내는 데 소중한 밑거름이 됩니다. 고맙습니다.

■ **구입하신 책 이름 :**

■ **구입하신 곳 :**   서점

■ **이 책을 구입하시게 된 동기**

☐ 주위의 권유로(로부터 선물받음)
☐ 광고를 보고
  광고를 본 매체 — 신문이나 잡지 이름 :
  라디오나 TV 프로 이름 :
  기타 :
☐ 신간안내나 서평을 보고
  서평을 본 매체 — 신문이나 잡지 이름 :
  라디오나 TV 프로 이름 :
  웅진의 홍보물 :
  사보나 기타 :
☐ 서점에서 우연히(☐ 제호 ☐ 표지 ☐ 내용)이 눈에 띄어서
☐ 좋아하는 작가여서   ☐ 베스트셀러라서
☐ 인터넷에서 보고(☐ 웅진 홈페이지 ☐ 사이버 서점)

■ **이 책을 읽고 난 느낌**
내용이 기대만큼 ☐ 만족스럽다 ☐ 보통이다 ☐ 불만이다
제목이   ☐ 잘 되었다   ☐ 보통이다 ☐ 잘못되었다
표지가   ☐ 잘 되었다   ☐ 보통이다 ☐ 잘못되었다
편집체제가   ☐ 잘 되었다   ☐ 보통이다 ☐ 잘못되었다
책값이   ☐ 비싸다   ☐ 알맞다   ☐ 싼 편이다

■ **관심 있는 분야**
☐ 시 ☐ 에세이나 흥미있는 읽을거리 ☐ 국내소설
☐ 외국번역소설 ☐ 교양상식 ☐ 역사 ☐ 철학 ☐ 과학
☐ 자녀 교육 ☐ 실용 ☐ 기타(   )

■ **구독하고 있는 신문, 잡지 이름 :**

■ **즐겨 듣는 라디오 프로그램 :**

■ **즐겨 보는 TV 프로그램 :**

■ **최근에 읽은 책 중 가장 기억에 남는 책이나 권하고 싶은 책은?**
책 이름   출판사 이름

■ **구입하신 웅진의 책을 읽고 난 소감이나 웅진에 바라고 싶은 의견**

_____
_____
_____
_____